Romeo

Libro de las alucinaciones

Letras Hispánicas

José Hierro

Libro
de las alucinaciones

Edición de Dionisio Cañas

CUARTA EDICIÓN

CATEDRA

LETRAS HISPANICAS

Ilustración de cubierta: José Hierro

© José Hierro
Ediciones Cátedra, S. A., 1998
Juan Ignacio Luca de Tena, 15. 28027 Madrid
Depósito legal: M. 747-1999
ISBN: 84-376-0599-7
Printed in Spain
Impreso en Gráficas Rógar, S. A.
Navalcarnero (Madrid)

Índice

Introducción

José Hierro

José Hierro en búsqueda
de su imagen perdida

*La empresa poética no consiste tanto en su-
primir la personalidad como en abrirla y con-
vertirla en el punto de intersección de lo subjetivo y lo objetivo*

OCTAVIO PAZ

BIOGRAFÍA POÉTICA: TRAYECTORIA DE SU OBRA

En la poesía de José Hierro (Madrid, 1922) se funden tradición y modernidad, lenguaje voluntariamente referencial,
directo y conversacional, con una alta tensión imaginativa,
y con esta fusión se intenta comunicar al lector una carga
emocional orientada hacia la reactualización poética de los
sentimientos esenciales del ser humano. Si nos atenemos
al título de su última poesía reunida, *Cuanto sé de mí*
(1974), lo que se puede deducir es que en este rótulo Hierro parece indicarnos que su libro contiene la imagen de
sí mismo, que el propio poeta ha podido descubrir en su
autointerrogación lírica. O sea, la poesía practicada como
una vía de conocimiento de la identidad. Poesía, pues, de
índole autobiográfica, donde se oye la voz de un personaje
poético de orden simbólico. En éste coinciden la indaga-
ción existencial sobre la vida misma del autor y la de cualquier individuo en general. Pero también se traza una autobiografía literaria, donde se reflexiona sobre la poesía y

11

el arte como representación de la realidad en su doble vertiente: la empírica visible, y la más secreta y misteriosa e invisible.

Uno de los temas principales de la poesía posterior a la modernidad es el de la definición de la identidad del autor, no ya desde las cimas exaltadas del yo romántico, cuya consecuencia última fue el narcisismo sonámbulo del arte surrealista, sino desde un yo que recupera su cotidianidad dentro del tiempo histórico que le ha tocado vivir, o que objetiva su experiencia de la vida a través de personajes poéticos del pasado o de un futuro imaginado. El poeta italiano Cesare Pavese, que renunció a la modernidad antes de la segunda guerra mundial (su poesía tiene mucho en común con la de José Hierro, por la manera como mitifica con un lenguaje directo su experiencia de la vida), se preguntaba ya en 1935: «¿Todas mis imágenes no serán sino múltiples e ingeniosas facetas de la imagen fundamental: tal mi tierra, tal yo?»[1]

Este intento de conocimiento de la identidad propia a través del ejercicio poético, no puede sino llevar fatalmente al poeta a la reflexión temporalista en la que por modo único el sujeto podrá arribar a su total sentido. Y éste será, como bien lo advirtió ya hace años José Olivio Jiménez, el otro gran tema de la poesía española posterior a la modernidad en general y de José Hierro en particular: el tema del tiempo.

Si se añade a los dos conceptos antes mencionados, identidad y tiempo, la preocupación por la muerte, nos encontraremos ante la reducida fórmula que define la poesía de Hierro como arquetípica de la poesía española de su época: poesía en búsqueda de una imagen que exprese la identidad, el tiempo y la muerte. Y se presentará así un proyecto de vida personal el cual, a su vez, quiere reflejar ese proyecto general que es la sociedad y la época en que ha vivido el poeta. Mas ni el tiempo es visto con la sublime

---

[1] Cesare Pavese, *El oficio de vivir. El oficio de poeta,* traducción de Esther Benítez, Barcelona, Bruguera-Alfaguara, 1979, pág. 42.

grandiosidad de la mirada romántica, ni la identidad es la de un super-yo ensimismado en su mente y sus sueños, y la muerte no es tampoco un gran derrumbe de astros. Hierro se plantea estos problemas desde una humildad que es característica de nuestra época, la cual está marcada por el desencanto histórico. Debido a ello, el poeta se dice: este es mi tiempo, este soy yo (un hombre cualquiera), esta será mi muerte, mi poesía es *cuanto sé de mí.*

Y es sin duda alguna la poesía de Hierro un hermoso documento, un testimonio y una crónica de toda una vida y una época. Pero esta crónica se hace más oscura al final de su obra, el testimonio se debilita por el desánimo general, y entonces el documento aparece emborronado, como queriendo ocultar no sé qué desencanto, no ya sólo de la historia, sino también de la existencia propia. Y después de haber quitado una a una las máscaras de la identidad, descubre que la última máscara, es la máscara sin rostro, la mascarilla, la máscara de la muerte. Pero veamos desde el principio cuál ha sido el largo camino que ha recorrido la poesía de José Hierro hacia este conocimiento final.

Tierra sin nosotros (1946) es el primer libro publicado por Hierro pero no son éstos sus primeros poemas. El pasado y los lugares donde se encarnó el tiempo son vistos por un cristal empañado de vaho o humo; las cosas, el paisaje, parecen hacerse sueño. Y la ausencia de aquellas cosas, produce una visión nostálgica, un sentimiento de pérdida y desposesión. De aquí que haya tantas imágenes del vacío, del hueco que ocupa el lugar del mundo y los lugares vividos, y también que las imágenes del sueño y de la muerte predominen.

Según José Olivio Jiménez «la imagen expresiva bajo la que se coloca el libro es así una imagen poderosa de muerte»[2]. Pero esta muerte no impulsa al pensamiento poético de Hierro a una aniquilación del entusiasmo o de un pesimismo de orden existencial, sino que, por lo contrario, po-

---

[2] José Olivio Jiménez, *Cinco poetas del tiempo,* Madrid, Insula, 1964, pág. 173. Existe una edición más reciente, 1972, pero mis citas siempre provienen de la primera edición.

tencia los deseos de vivir. El crítico, además de encontrar ya en este libro de Hierro el origen de la ley estética de los contrastes que predominaría en su poesía, da otras claves para entender el mundo poético del autor en general y de *Tierra sin nosotros* en particular: nos entrega, así, la idea del héroe principal de esta poesía, que sería la del hombre condenado. Por su parte, Aurora de Albornoz consigna la nostalgia con que evoca el poeta un pasado que le ha sido negado en parte, y la angustia que experimenta al recordar personas y lugares de ese pasado. Y llega a la conclusión que el saldo final de este libro es para Hierro reconocer que «a mayor dolor, mayor conciencia»[3].

En conjunto, en *Tierra sin nostros* la perspectiva es la de un hombre que desde su propia muerte ve su pasado, y también abre la sugestión de que el morir fuera un despertar y la vida hubiera sido un sueño. En el poema «Pasado» se puede leer:

> Parece que ando por la tierra
> asistiendo a mi propio entierro,
> que estoy colgado en el presente
> igual que un ojo gigantesco,
> contemplando toda mi vida,
> que hace el nido en mi propio cuerpo.
> Yo, desde fuera de la carne,
> impasiblemente lo veo[4].

Esta visión afantasmada de sí mismo se va a encontrar en casi toda la poesía de Hierro; especialmente en los momentos en que narra una parcela de su vida que en principio él rechaza, por parecerle que el tiempo actúa sobre la existencia de una forma arbitraria e irracional. Por lo contrario, en las instancias donde lo temporal se manifies-

---

[3] Aurora de Albornoz, *José Hierro,* Madrid, Júcar, 1981, pág. 18.
[4] José Hierro, *Cuanto sé de mí,* Barcelona, Seix Barral, 1974, pág. 57. Las citas de la poesía del autor se harán a partir de esta edición. Consigno sólo la página entre paréntesis después de cada fragmento de su poesía. Las referencias a *Libro de las alucinaciones,* remiten a la presente edición y se sigue el mismo sistema.

ta como una afirmación de la vida, lo que se exaltará será precisamente la sensación de que se está viviendo en plenitud un tiempo merecidamente hermoso y verdadero.

Visión fantasmal de la identidad y del tiempo, he aquí una de las primeras imágenes que pueden señalarse en la poesía de Hierro a partir de *Tierra sin nosotros*. Para producir esa sensación de vivir la vida como si se estuviera muerto, la voz del poeta se desdoblará en la voz de la muerte. Este desdoblamiento es fundamental para entender la técnica de la poesía menos objetiva de Hierro, cuya expresión más perfecta se encuentra en algunos textos de *Libro de las alucinaciones,* pero que, como se puede ver, está ya presente en su primera producción.

No inútilmente el poeta pasó cuatro años encarcelado, pues la experiencia del encierro, de la muerte en vida, es la imagen central de *Tierra sin nosotros,* además de contener alusiones directas y literarias a obras donde el encierro arbitrario del hombre es su motivo estructural *(La vida es sueño,* por ejemplo), o algún escritor como Fray Luis de León, que también fue marcado por la injusticia y la cárcel. Se da un testimonio de la experiencia personal de la cárcel en el poema «Canción de cuna para dormir a un preso». La perspectiva de un encarcelado no puede ser sino la de un muerto en vida, sensación que era común a los españoles durante el inmediato periodo de posguerra.

A pesar de cierta desolada visión de la realidad, también un *impulso de vida muy fuerte mueve la voz del poeta.* Y debajo de la capa gris que recubre todo *Tierra sin nosotros,* como sofocada va una corriente de entusiasmo. Y la primera manifestación de ésta es la aceptación de un destino alegre, donde la lucha y no la serenidad será lo que se pida en la vida, a despecho de una muerte siempre amenazante.

Alegría (1947), el segundo libro de Hierro, es una respuesta a las tentaciones de la serenidad —que para el poeta viene a ser casi sinónimo de muerte— pues él ve en la lucha la verdadera vocación del ser humano y el cumplimiento de su destino. Al final de un poema de *Tierra sin nosotros* escribía Hierro: «Voy inundándome de música»

(61). Esta música era la de la vida pero también la de la poesía. Y es que en el caso de la obra de Hierro se da una visión de la persona en general, tanto como del poeta que hay en esa persona, en lucha con el mundo y consigo mismo. Y si la vida es un combate agónico, también la poesía es angustiada búsqueda de la palabra que se adecúe a la emoción que el autor quiere expresar. Y en correlación inexorable, tanto existencia como volición poética, se ven amenazadas por la muerte.

Voluntad de canto y destino de muerte, he aquí la dramática contradicción a la que se enfrenta la poesía de José Hierro; «Ganar a costa del dolor/la alta cumbre de la alegría» (129) es la sola consolación que le espera al ser humano. Pero empeñado en encontrar la armonía, no la serenidad, aunque sea por unos momentos, el poeta busca continuamente la música, que parece escapársele a cada instante.

Nos encontramos ante una actitud donde, a pesar de constatar la insuficiencia de la palabra frente a una música ideal y que se desvanece siempre, acontece una voluntad de canto que le hace tolerable el mundo al poeta. Pero en el mismo libro, *Alegría,* Hierro llegará a escribir: «Para qué queremos músicas/si no hay nada que cantar» (152). Aquí habla el nihilismo, resultado de la conciencia crítica, que perfora frecuentemente el impulso hacia la alegría, hacia el canto, en la obra de este poeta.

El poema «Fe de vida» que cierra el volumen, resume perfectamente el contenido de *Alegría.* En este poema se consigna la absoluta certeza de un mundo cuyo destino es la muerte, pero a la vez, la igual certidumbre de que estar vivo es lo que importa. Y todo esto gracias a una conciencia alerta que se reduce en Hierro al concepto de «yo sé», por lo tanto existo, y estoy alegre de esta existencia con plenos poderes de mí, a pesar de todas las adversidades.

En este libro, la muerte es una merma de la vida, pero no necesariamente un acabamiento, sino más bien una suerte de ruptura diaria que da más vida a lo cotidiano y proyecta una perspectiva de realidad sobre lo que rodea al sujeto que se siente muerto. En «Alucinación» escribe:

> Si todos me deben su vida, si a costa de mí, de mi muerte
> es posible su vida,
> a costa de mí, de mi muerte diaria... (93)

Se puede notar aquí el impulso hacia el desdoblamiento que he señalado en el libro anterior. Este desdoblarse en otro, o en sí mismo visto como un otro, es fundamentalmente uno de los aspectos técnicos de lo que se definirá como poemas alucinatorios (me extenderé sobre el tema del «yo soy otro» en el apartado dedicado a analizar el fenómeno de la alucinación). Por ahora, digamos que en un texto como «El muerto», el desdoblamiento en un otro que ve «la hierba que encima de mí balancea su fresca verdura» (96) se produce para llegar a una conclusión altamente positiva, en la que el poeta afirma que «aquél que ha sentido una vez en sus manos temblar la alegría no podrá morir nunca» (96). O sea, que desde una muerte-ficción, a partir del yo como un otro-muerto, la visión de la alegría, aunque fugaz, es vista como si hubiera sido un momento de eternidad. Y en esta fe en la salvación por el instante alegre se afianza el yo del poeta en todo el libro *Alegría*.

Quiero ahora anotar un aspecto de su obra relacionado con la búsqueda de la identidad, y que tiene interés por ser parte de la temática que liga su poesía a un pensamiento de orden existencial: el de la fragmentación y la ruptura del yo. En el poema «El recién llegado» se lee:

> Pero yo estoy mirando en las aguas
> el cielo, ya roto, mi imagen, ya rota,
> y temo que tú, así, comprendas
> que es rotos como hay que mirarnos, huyendo en el tiempo,
> cayendo a otras manos que no son las nuestras,
> para ver la alegría madura y saber que el destino se cumple
> (104).

Creo que pocas imágenes son tan potentes como la que nos entrega aquí Hierro. Cielo, reflejo de sí mismo y del otro, rotos, fragmentados, como una forma de descubrir la alegría y el destino humano realizándose en el dolor de la ruptura. En vano buscaríamos en la tradición, un pensamiento que explicara esta imagen de la vida hecha pedazos, lo más remoto sería el romanticismo y lo más cercano es el existencialismo.

La pregunta de que si para sentir la vida en su estado de germinación o de alegría hay que sufrir, se la hará contínuamente Hierro. A veces de una forma metafórica, como cuando se dice: «¿Cortar, para olerlas, las rosas?» (125). O de una manera más directa, hablándose a sí mismo: «Me da pena soñarme rompiendo mis alas / contra muros que se alzan e impiden que pueda volver a encontrarme» (113)[5].

El intento por reconstruirse una identidad a través de la poesía es un impulso que nunca está ausente en la obra de Hierro. Como se ha visto en los ejemplos anteriores, casi siempre aparece un personaje poético cuestionándose la identidad propia desde todos los ángulos pensables y, a su vez, poniendo en duda la existencia real del mundo que le rodea. De igual modo, la mirada de Hierro se orienta hacia el misterio, como lo hace la mirada de una larga lista de poetas en la tradición española y, en particular, la voz de Antonio Machado. No ha de extrañar que sea precisamente en un poema de *Alegría,* que lleva el título de «Soledad», donde Hierro escribe: «Busco, detrás de lo evidente, / el zumo de los sueños...» (137)

Tiene ya lugar en *Alegría* una formulación muy clara de esta búsqueda de lo misterioso detrás de lo evidente, de lo invisible que sostiene todo lo visible. Esa palpitación del ser de las cosas y del mundo la explora Hierro en su poesía desde la emoción personal. O sea, cuando habla del sueño y a veces del alma (concepto que en muchos casos es sinónimo de sueño), el poeta no se deja llevar por el delirio surrealista, que sumerge al yo del escritor y a su identidad en una despersonalización anónima. Hierro se acerca al sueño desde la individualidad, precisamente para inte-

[5] Según José Olivio Jiménez, la misma sensación de ruptura que he señalado respecto a la identidad del sujeto, se da en el nivel del otro gran tema de su poesía, el del tiempo. José Olivio Jiménez, *Cinco poetas del tiempo,* págs. 199-200.

rrogarse a sí mismo, y ve el sueño como un método de conocimiento, como una forma del encuentro con ese lado oculto de las cosas y de sí mismo.

La lucidez con que la poesía de este autor se acerca al mundo de los sueños hace que, una vez experimentados éstos, ya sea metafórica o realmente, siempre se le imponga una vuelta a lo real como un modo de permancer en el plano de la razón: «aprendiendo en mí mismo que un sueño no puede volver otra vez a soñarse» (113). Porque en última instancia, para Hierro, el mundo de los sueños es también el mundo del abandono, donde el sujeto, como hombre, deja de luchar, y por lo tanto, pierde su conciencia de estar vivo. De aquí que si bien concibe al sueño como una forma de conocerse y de conocer al mundo, siempre vuelva a la realidad, con cierto apresurado miedo de haber estado demasiado cerca de la muerte.

En un poema donde parece haber cedido el personaje poético a esa tentación del sueño, «Desaliento» (claramente relacionado con los poemas de alucinación), toma forma el desdoblado yo que, en lucha con su ángel, no puede sino ver la muerte como un mal sueño del cual quiere salir:

> No es posible que yo
> sea éste. Redonda
> la luna, como siempe
> girando por su gloria.
> (Debe de ser un sueño).
> Yo creí que las cosas
> tenían alma. (Debe
> de ser un sueño). Rozan
> mi cuerpo. Ya se ha muerto
> la alegría, la loca
> alegría. Me veo
> como un agua remota,
> como un río de sueños.
> (Debe de ser un sueño...) (130-131).

He aquí la gran contradicción a la que se enfrenta la poesía de Hierro: la oposición entre el sueño como conocimiento y como aniquilación del yo. Esta bajada a los infiernos la hace el poeta tomando la precaución de recordarse a sí mismo siempre que la vida no es sueño, sino lucha. Pero sucede que de repente le acosa la gran duda y se pregunta si no será también esa vida, esa lucha, un sueño, una inútil ilusión, una fantasmagoría, y que todo tiene «lo lejano como lo próximo / no sé qué calidad de sueño» (136). Y lo que aun parece más desalentador, no es que lo presente sea sueño sino que también en lo por venir «Todo será del impalpable / metal del sueño» (149).

Es posible, se dice Hierro, que la vida sea sueño. Es igualmente probable entonces, que el momento de la muerte sea también una entrada en el mundo del sueño. Vida, muerte, éstas son las pertenencias del ser humano. Pero aunque sea soñado, el dolor es para él un asidero de su realidad, de su estar en un mundo de realidades; de aquí su apego a este dolor y su rechazo de la serenidad como una antesala de la muerte, del sueño. Y lo que es más importante aún, es que desde ese dolor se erige y se levanta su conocimiento y desde él puede explorar los sueños, la muerte, el pasado y el futuro, y puede interrogar el presente. Cuando escribe, «sé que nada está muerto mientras viva mi canto» (139), está apostando sin temor por la poesía, lo cual (ya lo veremos, en sus declaraciones) Hierro parece no ratificar así siempre.

Con las piedras, con el viento (1950) es el tercer libro de José Hierro y la misma intrincada red de conflictos modulan el pulso poético del autor. No obstante, un nuevo tema parece ser el origen de esta entrega: el tema del amor. Tanto el autor como sus críticos están de acuerdo en clasificar este conjunto de textos como un solo poema sinfónico, en el cual todas sus partes se interrelacionan, iluminándose las unas a las otras y dando por resultado un poema extenso en su totalidad. Es un libro que se centra en la obsesiva idea del amor y de los efectos del amor sobre el personaje poético. Este se sostiene siempre en pie con la entereza y la solidez de los libros anteriores, reflexionando con cierto escepticismo sobre la vida y la muerte. Posiblemente haya llegado José Hierro a la conclusión misma de

Pavese de que «es estéril la búsqueda de un nuevo personaje, y fecundo el interés humano del viejo personaje por nuevas actitudes.» [6]

Pues bien, ¿cómo se enfrenta ese viejo personaje al nuevo tema que es el amor? Este es percibido en igual grado de irrealidad y de precariedad a como se veía el tiempo pasado o la alegría del presente en sus dos libros anteriores. Por esta razón, de nuevo la muerte irrumpe amenazante ante el sentimiento amoroso. Vuelve aquí a darnos la impresión de que es desde la ruptura, desde el dolor, como se puede valorar el amor y la vida en sus más hondas vibraciones.

En este libro el personaje quiere «desendemoniarse» y se dice a sí mismo que habla «por hablar, por dar / libertad a mi demonio» (175). Si este demonio es la obsesión de un amor no cumplido, o cumplido y necesariamente perdido, *Con las piedras, con el viento,* vendría a ser un libro confesional. Y es probable que esa capa de olvido, que se quiere echar sobre el pasado cuando lucha por emerger en el presente, es como desear que una parte de la vida se piense semejante a la muerte, cuando en verdad, al no ser así, lo único que crea es un dolor.

Y es que no pensar no implica olvidar, sino postergar a un mundo de oscuridad aquellos momentos de la vida que de algún modo vienen a interrumpir nuestra voluntad de un destino diferente. En esas tinieblas del recuerdo se forma el demonio, ese demonio que obsesiona y que como un poder evocador la poesía conjura con su canto.

Pero el demonio al que Hierro quiere dar salida en sus poemas de *Con las piedras, con el viento,* es mucho más complejo que el simple recuerdo de un amor desafortunado, hundido en el pasado. Una suerte de duda frente a ese amor parece asaltar al personaje poético que aquí habla, esa duda es la del amor no correspondido, aunque el tiempo y hasta quizás el cuerpo hayan sido compartidos.

---

[6] Cesare Pavese, *El oficio de vivir...,* pág. 51.

> Lo que existió para uno solo
> no dejó nunca de estar muerto.
> (Lo que este muerto nos angustia
> sólo nosotros lo sabemos) (191)

Se anuncia en esta estrofa un drama mayor que el de la soledad, es el drama de la autoinculpación, del reproche a sí mismo. La magnitud de esta especie de fantasma que lleva encima el poeta y le obsesiona, habita todo el libro que estoy ahora comentando. Es un diálogo sordo consigo mismo el que predomina en los poemas de *Con las piedras, con el viento*.

La maduración poética de José Hierro se da en toda su plenitud con *Quinta del 42* (1953), complejo conjunto de poemas donde de nuevo predomina un pensamiento de índole extremadamente temporalista. Una vez más se recogen temas tratados en sus libros anteriores: el recuerdo, la muerte, el amor, el sueño. Pero en este libro lo conceptual y lo reflexivo parecen apropiarse en mayor medida de la voz poética, dejando paso a una más visible ostentación del oficio de poeta en muchos casos, y sofocando voluntariamente la pasión en otros.

> Yo era poeta. Sentía,
> soñaba. Tiempo divino
> de sentir y de soñar.

> * * *

> Soñar sin saber cantar.
> Errar por el laberinto.
> Pero ahora que sé cantar
> ya es imposible el prodigio.
> Ahora ya no sé soñar (307).

Esta aparente confesión de una cierta insuficiencia del canto, debida a que el conocimiento del oficio poético parecería haber sofocado la capacidad ensoñadora del poeta, no es exactamente lo que ha ocurrido, sino que una mayor lucidez se ha instalado en una parcela de su verso. Y es desde esa racionalidad desde donde «José Hierro, un hombre / como hay muchos, tendido / esta tarde en mi cama, / volví a soñar» (236). Nos hallamos aquí ante una recuperación parcial de la imagen propia, de la identidad perdida. Ya veremos cómo esta falsa imagen de serenidad es sólo aparente; de nuevo volverá a su poesía la multiplicidad que caracteriza la configuración de un sujeto poético en continuo conflicto consigo mismo, y cuya expresión más acabada la encontramos en *Libro de las alucinaciones.*

Ahora sueña el poeta desde la absoluta conciencia de su estar en el mundo, haciendo parte de una comunidad cuyos problemas comparte y que van a aparecer con carácter denunciatorio en este nuevo libro. Se da, pues, lo que Pedro J. de la Peña ha clasificado como «una poesía del compromiso solidario con la colectividad que se realiza en el signo de lo autobiográfico» [7].

Pero si seguimos explorando esa biografía poética que intentamos en esta introducción, lo que se podría decir es que la búsqueda de una imagen de la propia persona, a través de su poesía, ha alcanzado su formulación más adecuada en este momento. Si bien en sus primeros libros Hierro parecía más ocupado en reconstruir su identidad, su pasado, su presente era el centro de su preocupación y un yo que, de algún modo, buscaba su imagen más auténtica a través del dolor, de la ruptura y de la recomposición en el poema. Aquí nos encontramos con un yo comprometido en varias direcciones: consigo mismo como individuo, con su arte, y con la sociedad en crisis que le rodea.

> Su poesía es un retrato borroso de «el hombre» en tanto que todos podemos, en mayor o menor grado, identificarnos con él, pero es en cambio un perfecto autorretrato que define la naturaleza de su «yo».

* * *

[7] Pedro J. de la Peña, *Individuo y colectividad. El caso de José Hierro,* Valencia, Universidad de Valencia, 1978.

Su descripción de sí mismo o su simbolización existencial
—en héroes y «muertos»— permite representar la estructura del pensamiento y del espectro emocional de la posguerra[8].

Es así, de la forma en que lo define Pedro J. de la Peña,
como también se podría dar una visión de conjunto de este
libro que comento ahora, pues en efecto, el retrato del yo
individualizado se hace válido por el más amplio retrato
de una comunidad que rodea al poeta, a la vez que resuena
con claridad un esqueleto emocional que da soporte a las
vivencias solitarias y solidarias de cualquier español dotado
de un mínimo de conciencia histórica.

Hierro no fue nunca un poeta social, en la medida de
que, a pesar de tender hacia la sencillez en la expresión poética, lo que parece haberle importado más, ha sido siempre
la experimentación métrica, la búsqueda de una perfección
en el decir acorde a su idea de la poesía, no a las consignas
impuestas por ningún lector mayoritario. En todo momento la poesía de Hierro parte de un auténtico planteamiento
de su problemática personal, y aunque esto implique lo más
ampliamente social, jamás pretende el poeta convertir la
poesía en un panfleto, y no se hace ilusiones respecto al
impacto político o cívico que la poesía pudiera tener.

A veces se ha interpretado erróneamente como social
(en su manifestación política) la poesía de Hierro, y *Quinta del 42* en particular. Sólo es aceptable este término si
llegamos a la conclusión de que toda manifestación artística es social (aunque sea un arte autorreferencial) y que sólo
la confrontación con la realidad nos entrega el significado
último de una obra, no la abstracta comparación con unos
paradigmas sin sentido alguno para la experiencia huma-
na. Si lo que se entiende por «arte social» cumple exclusivamente funciones redentoras de una determinada capa o
clase de la sociedad, entonces no podemos aplicar el término a la poesía de José Hierro. A tal punto se ha llegado

---

[8] *Ibid.*, págs. 185-186.

en este tipo de interpretación de la poesía del autor, que José M. González habla de «declaraciones pro marxistas» en ella[9].

Afortunadamente la realidad poética de *Quinta del 42* es muy otra, y en nada se reduce a una simple poesía de octavilla política. El tiempo es aquí de nuevo quizás el tema fundamental, ya sea vivido desde la individualidad o visto desde una perspectiva social más amplia. Vemos a un personaje para quien «ya se ha parado» su tiempo, y es que aquí vuelve a vivirse la experiencia de la cárcel ahora expresada desde una mayor claridad conceptual en el poema «Reportaje»:

> Esta cárcel es como una
> playa: todo está dormido
> en ella. Las olas rompen
> casi a sus pies. El estío,
> la primavera, el invierno,
> el otoño, son caminos
> exteriores que otros andan:
> cosas sin vigencia, símbolos
> mudables del tiempo. (El tiempo
> aquí no tiene sentido) (239-240).

De este modo, como caído del tiempo, desprendido, foráneo, se le ve al poeta encerrado, aislado frente al tiempo; no es de extrañar que de nuevo irrumpan los sueños y la obsesión de la muerte. Esta es vista desde perspectivas diversas, una de ellas es la de la muerte como una forma de perfección hacia la cual van a parar todos nuestros esfuerzos, incluyendo los de la creación de una obra: «Perfección de la vida que nos talla y dispone / para la perfección de

---

[9] Escribe José M. González: «Técnicamente y de manera general, cada poemario supera al anterior. El referente histórico de la preguerra y su recuerdo van cediendo ante la voluntad de un nuevo amanecer para la patria; el lectorado tiende a confundirse con el camarada, y la simple protesta o testimonio desaparece entre declaraciones pro marxistas.» *Poesía española de posguerra. Celaya / Otero / Hierro, 1950-1960,* Madrid, EDI-6, 1982, pág. 242.

la muerte remota» (229). Es una nueva faceta en la definición de la muerte en la que entra Hierro en este libro y, así como en sus entregas anteriores una clara oposición entre vida y muerte parecían tener lugar, ahora se entrelazan estos dos conceptos para darnos una visión más difuminada y ambigua de los límites de aquella aparente oposición conceptual. Las contradicciones y las tensiones antinómicas, se debilitan, y los temas que parecían prolongarse en una irrenconciliable separación se confunden, y ahora se sitúan en un plano de intersección, como dos líneas paralelas que proyectadas hacia el horizonte nos dieran la impresión de unirse. Esta unidad aparente es la trascendencia, y la ilusión de esa unidad será la alucinación en su representación más plástica; respuesta final a la búsqueda de una imagen para la identidad (que es lo que formulaba Octavio Paz en la cita con que abría este trabajo) como «el punto de intersección de lo subjetivo y lo objetivo».

Estamos aquí ya ante la aceptación de una identidad que Se sabe en continuo conflicto y cuya unidad es posible sólo en la multiplicidad de ese ser de la persona. Así, los términos contradictorios que daban fundamento a la dinámica de la vida —dolor / alegría, vida / muerte, serenidad / pasión— y que parecían sucederse los unos a los otros, van a emerger ahora como confundidos, conviviendo los unos en los otros, sin desaparecer totalmente; o sea, dentro de toda alegría permanecerá cierto dolor, dentro de toda vida su porción de muerte. «Por ello acabarán muerte y vida por no ser sentidas como realidades excluyentes entre sí... como si la muerte y la vida no se opusieran, sino que se interpenetraran...» [10]

Esto se ha logrado gracias a un trasvase de los temas que en los libros anteriores pertenecían excluyentemente a la vida o a un plano de valores de muerte. «Sé que la muerte no es descanso, / sino aventura... / Quiere pasión, como el amor, / como el dolor y la hermosura» (246). Todas las obsesiones vitales del poeta se ven convalidadas de repente en el reino de la muerte. Este sorprendente descu-

---

[10] José Olivio Jiménez, *Cinco poetas del tiempo*, págs. 245-246.

brimiento no puede sino desequilibrar el mundo, pues al introducir Hierro en *Quinta del 42* una nueva valoración de la muerte, relativiza todos los presupuestos que habíamos encontrado en su obra anterior. Así, nos sigue diciendo que «la muerte no remataba / nada: desataba el viento» (248). La solución a esta aparente contradicción en que incurre ahora la poesía de Hierro va a ser después la alucinación. Es decir, la intolerable certeza de que tan válida es la vida como la muerte, será formulada por un sujeto que se piensa como un otro, un otro alucinado. Pero el yo que es el poeta en su cordura de escritor no puede identificarse todavía como ese otro yo alucinado

De este modo, en la sección de *Quinta del 42* que lleva por título «Alucinaciones», instalado el poeta en una «negra música» (anunciada ya en otro poema anterior, «La muerte tarde»), escribe Hierro:

Vino el ángel de las sombras

* * *

Toda la noche me estuvo
llenando de muerte

* * *

Alucinado, queriendo
vencerle, venciéndome (275).

Es quizás esta solución, la vivencia ficticia a través de la alucinación, una tentación de abandonar un yo en lucha consigo mismo por una suerte de estado de inconsciencia, abatimiento y silencio. La respuesta final es siempre en la poesía de Hierro la lucha, pero ante la fusión de los valores de la vida y la muerte, no debe sorprender que se haya planteado al menos la duda de la importancia real que pueda tener la existencia. En este libro tiene lugar la revalorización de otro concepto que nos era familiar en su poesía y que ahora adquiere un tono diferente. Escribe Hierro: «Soñar es como morir» (278). Ya nos encontramos aquí, frente a una variante del concepto sueño o con la ensoñación en general o los sueños como ilusiones. Soñar se ve parangonado abiertamente a morir, es una valoración que pertenece al nuevo estado de cosas que establece el poeta con *Quinta del 42*. O sea, lo que en la obra anterior hacía parte de la vida, ahora ha entrado también a hacer parte de la muerte y viceversa. Al acercarnos a la gestación del *Libro de las alucinaciones* se va sintiendo la pérdida de los límites claros entre los temas.

De nuevo, en los versos de «Una tarde cualquiera», ese «hombre como hay muchos» que se declara José Hierro para diferenciarse del semidiós que se puede considerar un poeta, «un esteta», ese hombre cualquiera sueña más allá del sueño, vive sus sueños más allá del ámbito de éstos.

Son precisamente esos residuos del sueño que se salvan al despertar los que a veces se confunden con la alucinación, porque a pesar de estar en el ámbito de lo empírico, se sigue soñando. En otro poema, «Segovia», de índole alucinatoria, se confunden la realidad interna, la del sueño, y la externa, la percibida, y se pregunta el poeta sobre un objeto aparentemente tan real como unas torres: «Salían del sueño... o entraba él al sueño... / O acaso no había soñado...» (259)

Este proceso de difuminación de los límites entre pensamiento y objeto pensado, percepción real y percepción alucinada, vida y muerte, realidad y sueño, ya he dicho que es en *Quinta del 42* donde comienza a darse con mayor fuerza en la obra de Hierro. Es, por lo tanto, este libro una antesala de la alucinación que, como veremos después, tendrá lugar cuando el sujeto poético ya no pueda discernir que ese conflicto entre lo pensado y lo realmente existente ocurre, y toma por realidad lo que sólo existe en la mente, pero por lo general el poeta recoge esta preocupación y trata de que en los textos quede claramente expresada la duda.

«*Estatuas yacentes*» (1954) es un poema extenso publicado por separado, una suerte de glosa de un epitafio en un sepulcro de la catedral de Salamanca. La voluntad de estilo y la sobriedad descriptiva se combinan para formular una triple pregunta sobre la muerte, el alma y la identidad dentro del aquí y ahora y en el más allá de la muerte. La respuesta viene a reiterar ideas ya expresadas por Hierro anteriormente, pero ahora dándole un valor de salvación a la muerte, porque después de muertos «volveréis a soñar la vida. / Pero la luz será más pura» (329).

Cuanto sé de mí (1958) significa una concienciación de la obra hecha en los diez años que han pasado desde la publicación de su primer libro. Al leer esta breve entrega se tiene la impresión de que en efecto el poeta ya parece haber dicho todo lo que quería decir, y su identidad está redondeada, dibujada y desdibujada claramente, de ahí el título del libro.

Se repiten ahora gran parte de los temas ya familiares al lector de Hierro, lo cual ha hecho que sus críticos hablen de una «retórica temática» en su poesía. Yo me limitaría a decir que se trata más bien de una fidelidad de pensamiento poético y existencial, que Hierro no cambia, sino que matiza, ahondando en sus obsesiones, mirándolas desde todos los puntos de vista posibles. Esto parte de un deseo de autenticidad que marca a muchos de los poetas de su misma época, aunque no les sea exclusivo a ellos.

En *Cuanto sé de mí* se reflexiona sobre la poesía más que en ningún otro libro del autor, a pesar de que es característico de Hierro anteponer a sus libros una especie de razón poetizada de lo que el lector se va a encontrar. En «Nombrar perecedero» el lenguaje es sentido como cosas u objetos que van a desaparecer en el tiempo, lo cual sería una forma sobria de reconocer los límites de la creación poética. Con igual humildad, en «Remordimiento», el autor tiene dudas hasta del significado de su poesía y se dice: «Yo mismo no comprendo / qué es lo que dejo en ellas.» (339).

Sorprende en un poeta tan lúcido como José Hierro el que se pueda plantear estas dudas sobre el significado de su poesía. Pero es que, en efecto, hay en gran parte de su obra unas claves que se nos escapan, un referente final que no queda claro; o sea, una voluntad de oscuridad referencial, respecto al verdadero sujeto del poema, que sería contradictoria con su poética de la sencillez y la claridad. Mas esta «crónica oscura», como el mismo poeta la llama, está casi siempre ligada a temas muy íntimos que se disfrazan y se objetivizan. En «El poema sin música» se habla de esa parcela menos clara de su poesía y confiesa que: «Escribí confuso, / aludiendo, para que nadie / desentrañe el secreto...» (355).

Pocos poetas son tan fieles a lo humano esencial como lo es José Hierro. Aun cuando trate de oscurecer el verso, tal voluntad se situaría en un nivel emocional, no literario, ni estético, ni puramente lúdico-intelectual. Está claro que lo que se puede considerar como un arte posterior a lo moderno, al igual que su filosofía central, la del existencialismo, impregna todo el pensamiento poético de José Hierro y hasta las reflexiones que hace sobre la poesía son de rango más bien metafísico y están circunstanciadas en lo humano en general o en sus emociones individuales.

Ya he dicho que el mundo poético de Hierro está lleno de aparentes contradicciones; a mi entender son cambios en la personalidad poética del autor y también expresiones de la hetereogeneidad básica que da forma a su identidad. Así, como resumiendo lo hecho en vida y en poesía escribe el poeta:

> En principio
> fue el dolor. (Nace el cantar
> del vivir). Y el dolor vivo
> es vivir. Pero pregunto
> por qué habrá sido preciso
> el dolor para cantar,
> el morir para estar vivo (353).

He aquí formulada una mirada retrospectiva de gran parte de los presupuestos existenciales y poéticos de Hierro. Lo que hasta este momento parecía haber sido aceptado con toda certeza, es ahora una interrogante.

La percepción que de la poesía nos va a dar Hierro en este libro se irá reduciendo a unos valores cada vez más esenciales, cada vez más cercanos al ser de su poesía. Creo haber podido trazar con cierto dramatismo esta evolución hacia un entendimiento de lo poético lleno de lucidez y, a la vez, de misterio (lo cual, aunque parezca contradictorio, no lo es) que será lo que habrá de predominar en el *Libro de las alucinaciones*. Así, en las reflexiones finales sobre su propia poesía, dentro del mismo poema, Hierro nos va a desvelar el origen verdadero de su obra, el ritmo, un ritmo que «tiene patria» en su corazón, un nombrar escondiendo:

> Un rítmico
> nombrar secretos de muerte
> que a mí me mantienen vivo (354).

Y es que ahí residen las raíces de su canto, en la muerte, aunque ésta sirva para testimoniar que está vivo y que lo que desea es lucha y no serenidad. Aquella serenidad que tanto parecía despreciar el poeta joven, atormentado por su pasado, por su dolor, ahora es la que modula estos poemas de reflexión sobre su poesía y sobre sí mismo. Y nos queda al final una hermosa imagen del hombre solitario que busca el origen de su canto en la muerte, y la esencia del ser humano en sí mismo y en los otros «un solitario buscando en los hombres al hombre, / al hombre en sí mismo, una página / en negro...» (368).

Hay al final de *Cuanto sé de mí* como una desolada visión del ser ante la muerte. No es ya ira, queja o reproche, lo que da nervio al canto, sino pura sabiduría que le viene al poeta de las revelaciones de la muerte. Todo parece derrumbarse con lentitud y sin estrépito, como si se fueran borrando en la lontananza las cosas, los lugares, la poesía y el propio poeta. El canto no era la música celeste, «era cosa / de nuestro mundo. Era la muerte / en movimiento» (386). Y la vida era como un dialogar con los muertos que se han ido desenterrando a través de la palabra. Aquéllo que en su día hubo de ser la *tierra sin nosotros* ya no es sino «tierra muda, dispuesta / para cavar mi fosa» (389). El tiempo parece ya como un gran vacío; no es de extrañar que en el próximo libro Hierro opte por construir un personaje poético que alucina, única forma de objetivar y llenar ese vacío que le rodea.

BIOGRAFÍA CRÍTICA: NORMAS LITERARIAS Y PERSONALIDAD
POÉTICA

La crítica sobre la poesía de José Hierro se ha venido
planteando una lectura de su obra a partir de la doble perspectiva de la poesía como «reportaje» y de la poesía como
«alucinación». Estos dos y opuestos puntos de vista, desde
los cuales se acercaría el poeta a la realidad, han sido ma-
tizados, ampliados, pero siempre quedándose dentro de esta
básica distinción. El mismo Hierro ha confesado que esas
son las dos direcciones de su quehacer poético[11].

Se daría así en su obra una línea de poesía objetiva (José
Olivio Jiménez)[12], de testimonio directo (Aurora de Albornoz), relacionada con la colectividad como se relaciona la
poesía épica (Pedro J. de la Peña); o sea, el poema como
reportaje. Naturalmente este tipo de poesía requiere una
claridad expresiva que afectaría al estilo, imponiéndole un
lenguaje coloquial, directo, y trasparente para el lector. Los
reportajes vendrían a ser elaboraciones artísticas de fragmentos de una realidad vivida o pensada, incluyendo el uso
de la información periodística (de ahí la etiqueta o rótulo
que el propio poeta le da a esa clase de poemas).

Por otro lado, la dirección de su poesía de «alucinación»
seguiría una línea subjetiva (Jiménez), de testimonio velado (Albornoz), de ensimismamiento individualista y lírico
(De la Peña). Este tipo de poesía, cuyo producto óptimo
sería el *Libro de las alucinaciones,* tendería a ser más oscura en su significado último, y orientada a desvelar los misterios del mundo visible y de la existencia desde laderas
más irracionales

Hasta aquí la crítica se ha mantenido en el parámetro
trazado por Hierro para la lectura de su poesía. Pero in-

[11] José Hierro, «Prólogo a *Poesías completas,* 1962» en *Cuanto sé de
mí,* Barcelona, Seix Barral, 1974, pág. 16.
[12] Los estudios de los críticos citados aparecen consignados en la «Bibliografía». Cuando se hace una cita textual de alguno de ellos se da la
información pertinente.

mediatamente esos mismos críticos han sabido ver también que no todo está tan claro como pretende el poeta, y que en su obra se da un punto de intersección donde el reportaje se disuelve en alucinación, lo objetivo en subjetivo, el testimonio directo en testimonio velado, lo colectivo en lo individual.

A mi entender, tiene lugar en su poesía una fusión continua de una doble visión del mundo. Y ello opera acorde con un reconocimiento de que la estructura básica de la realidad es la *unidad* de un lado misterioso, invisible, y otro más claro y visible. Aplicando esto a los fenómenos psicológicos, se podría decir que la esencial constitución del sujeto es también una combinación de ese lado racional con el irracional, no el uno separado del otro, aunque sí vigilándose mutuamente siempre y con plena conciencia de sus naturales diferencias.

Si tomamos un texto paradigmático de la línea objetiva, el poema «Reportaje», y otro igualmente ejemplar de la línea opuesta, «Alucinación en Salamanca», y contrastamos unas cuantas líneas, veremos que en verdad no hay gran diferencia entre uno y el otro. Del primero:

> Desde esta cárcel podría
> verse el mar, seguirse el giro
> de las gaviotas, pulsar
> el latir del tiempo vivo (239).

Y de «Alucinación en Salamanca»:

> Pisé las piedras,
> las modelé con el sol
> y con tristeza. Supe
> que había allí un secreto
> de paz, un corazón latiendo para mí (406).

Me parece evidente que en ambos fragmentos la porción de misterio es semejante. Y podría decirse que entre «el latir del tiempo vivo» y «un corazón latiendo para mí» en las piedras, no hay ninguna diferencia radical: en ambos casos, son constataciones del misterio que subyace siempre a la realidad, y que al poeta le es dable captar en una doble pero única mirada.

Creo que el hecho de que la intención final de cada poema quede más o menos oscura (y eso sí ocurre frecuentemente en la parcela más imaginativa de la obra de Hierro) no legitimiza el que nos sirvamos de una división excluyente entre repotajes y alucinaciones al analizar su poesía. Al cabo, esto siempre nos llevará a acercarnos con un prejuicio a la lectura de su obra, o a enredarnos en sutilezas de nomenclatura que para el caso no ayudan en absoluto a entender esa obra en su unidad y verdad. En última instancia, y en esto sí están todos los críticos de acuerdo, la intencionalidad de la poesía de Hierro es siempre la emoción; que ésta llegue a producirse desde una mayor o menor claridad conceptual, ello dependerá de la cantidad que contenga el poema de «imágenes que expresen conceptos» o de «imágenes que expresen intuiciones» [13].

Dentro ya de este estado de cosas, donde vemos que una ambigüedad fundamental es lo que predomina en la mejor poesía de Hierro, la identificación de algunos temas que estructuran sus textos ayuda a aproximarnos a un más cabal entendimiento de la misma. El tema del tiempo, desde los seminales trabajos de Marcel Douglass Rogers y José Olivio Jiménez hasta el más reciente de Susan Ann Cavallo (ver bibliografía), se ha considerado uno de sus asuntos estructurales básicos. No sólo Hierro reflexiona sobre el tiempo, sino que elabora unas perspectivas temporales de gran originalidad en sus poemas. En éstos, el tiempo afantasma las acciones del ser humano; y los pequeños actos cotidianos, al igual que los espacios más familiares, adquieren dimensiones heroicas al alejarse en el tiempo. Pero la cronología también puede ser imaginada, moldeada por la poesía de la manera que nos hubiera gustado que fuera (y detrás de ello está la noción del tiempo *apócrifo* en que tan-

---

[13] Estos términos, *imágenes-conceptos* e *imágenes-intuiciones,* aparecen en José Hierro, «Prólogo» a Antonio Machado, *Antología poética,* 2.ª ed., Barcelona, Marte, 1973, pág. XIV.

to insistiera Antonio Machado). Entonces, el contenido real del tiempo ya no importa; y el pasado posible o el que fue, el presente imaginado o el que es, y el futuro, pueden mezclarse a través de la imaginación poética: dándose con gran frecuencia en estos poemas el fenómeno que Carlos Bousoño ha descrito y definido como superposición temporal[14]. Es el tiempo en acción, ya sea con una base realista o imaginada, ya sea el tiempo que exalta o el que derrumba al ser humano. Y de ese tiempo saca el poeta los elementos esenciales de su arte.

Pero existe en la poesía de Hierro otra temporalidad menos feliz: la alta traición del tiempo. Y es entonces cuando el poeta se siente desposeído de su tiempo, del tiempo que cree merecer o haber merecido. O cuando se detiene el paso de las horas en una cárcel y ya la vida no tiene sentido. Es como si el poeta se hubiera «caído del tiempo» o desprendido de la Historia, como si estuviera muerto en vida[15]. Esta sensación de haber sido abandonado por el dios Tiempo, le permite a la voz del poeta metamorfosearse en una voz que habla desde la muerte; de aquí tantos poemas de Hierro escritos a partir de un yo póstumo.

El gran héroe de la poesía de Hierro es el hombre condenado[16]. Pero esta condena no tiene carácter religioso sino existencial. Y es que no puede ser de otro modo cuando a la vez se le da al ser humano una conciencia, un tiempo y sin quitarle esa conciencia se le arrebata el tiempo. O condenados o maldecidos, pero en verdad que hemos sido abandonados en el tiempo para nuestro castigo (parecen decirse los personajes poéticos de José Hierro).

---

[14] Carlos Bousoño, *Teoría de la expresión poética*, 5ª ed., versión definitiva, Madrid, Gredos, 1970.

[15] Nadie ha sabido mejor que E. M. Cioran captar la angustia temporalista que predomina en el pensamiento europeo de después de la segunda guerra mundial. *Vid.* «Caer del tiempo» en *Contra la historia,* traducción de Esther Seligson, Barcelona, Tusquets, 1976. Para los efectos psicológicos de la guerra sobre aquellas personas que sobreviven a ésta, es interesante el libro de Robert Jay Lifton, *History and Human Survival,* Nueva York, Randomhouse, 1970. (Debo la referencia de este libro a mi amiga Shirley Mangini).

[16] José Olivio Jiménez, *Cinco poetas del tiempo,* pág. 179.

El personaje principal en la poesía de Hierro es, ese hombre caído del tiempo, traicionado por la Historia (como tantos españoles y europeos de su época lo fueron). En consecuencia, se ve al tiempo como un gran vacío, una nada siendo, una página negra donde lo escrito ha sido borrado y lo por escribir está condenado de antemano a la opacidad. Frente a esta oquedad del tiempo al poeta no le queda más opción que creer momentáneamente en la lucha o el dolor —los cuales, como hemos visto, son los temas fundamentales de su poesía[17].

Todos los críticos están de acuerdo en señalar que el impulso de lucha es en el verso de Hierro sucedáneo de vida, y por lo tanto, de negación de la muerte. Esta existencia en lucha, en armas contra el tiempo, tiene su correlato en lo que Aurora de Albornoz ha llamado la «tensión dramática», la «abierta lucha de contrarios» de toda su obra[18]. Y de igual modo, ante el caos general del tiempo, Hierro se ha impuesto un rigor y un orden obsesivos en la temporalidad poética, es decir, en la métrica. Pocos poetas han llegado como Hierro a una exigencia tan grande para sus composiciones, que se alzan en su perfección como un conjuro: ante el tiempo real e imperfecto, el tiempo abstracto y perfecto de la música.

Si la forma de sentirse vivo es luchar, la de palpar la alegría de esa vida es sufrir. En este punto también coincide la crítica al registrar que es esencial en la poesía de Hierro la intuición de que por el dolor se llega a la alegría. Paralelamente a estas ideas que configuran una existencia alerta, en lucha, nos encontramos con sus conceptos opuestos; así, la serenidad será vista como una forma de la muerte, y la paz de espíritu de igual modo.

Por último, un tema que ha sido señalado especialmente por Aurora de Albornoz, el del amor y sus sucedáneos (erotismo, deseo, melancolía amorosa) adquiere gran relevancia en la poesía del autor. El amor se confunde en ella con

---

[17] José Olivio Jiménez, *ibid.* págs. 161-168. Resumo en mi párrafo algunas de las ideas expresadas por el crítico sobre este tema.

[18] Aurora de Albornoz, *José Hierro,* pág. 82.

la pasión, y esta pasión con la sensación de estar vivo, aunque sólo sea por un instante (viniendo a desembocar así en el mismo y sostenido tema central). Ante la alta traición que le ha hecho el tiempo, cualquier forma de sentir las dentelladas de una temporalidad viva es preferible a la serenidad o la no-vida: entre ellas, la del amor-pasión.

En definitiva, la poesía como conocimiento, pero no un conocimiento abstracto sino empírico, existencial. Conocerse a sí mismo (tiempo propio), y conocer a los otros (tiempo ajeno), dolerse de su propio sufrimiento (tiempo individual) y sentir el sufrimiento ajeno (tiempo comunitario). La poesía de José Hierro es un autorretrato y, a la vez, a través de la imagen propia, es un retrato de su época y de su tierra. La intención de su canto es el mostrarnos un destino alegre, a pesar de que esta alegría se origine en la lucha y el dolor.

Pero también subraya lo absurdo, lo inútil y arbitrario de nuestro destino; entonces, alegría, dolor, lucha y vida son valores intercambiables por desesperanza, inútil dolor, lucha inútil, muerte y olvido (para el canto). Este es el mensaje que, como veremos más adelante, nos entrega su *Libro de las alucinaciones*.

Vuelvo aquí a recordar, como lo he hecho antes respecto a la división entre reportaje y alucinación, la esencial ambigüedad que se da en el corpus poético de José Hierro. Creo que esta relatividad proviene de una voluntad absoluta de honestidad por parte del poeta, que podemos ver expresada en sus textos de una forma quizás inconsciente, una vez que nos acercamos a ellos como conjunto. La obra de Hierro es una búsqueda de la identidad a través del conocimiento de sí mismo. Usa al escribir una serie de recursos literarios y de tópicos ya canónicos para el lector. Pero lo que diferencia su poesía de esos patrones por él voluntariamente tomados, es su intensa y emocionada individualidad, y la siempre personal y precisa circunstanciación que rodea cada una de sus piezas, de sus poemas. Si lo que es el título de su poesía completa hasta la fecha, *Cuanto sé de mí,* lo convertimos en una interrogación,

¿cuánto sé de mí?, la respuesta incompleta es la obra escrita por Hierro hasta la fecha.

Esta pregunta estaría hecha como ante un espejo, el de la poesía, y la respuesta parcial sigue aún formulándose. Pero una vez que tomamos un poema, parecería como si el propio poeta se hubiera metido dentro de ese espejo, y entonces le corresponde a su vez al lector preguntar a la poesía; ¿Cuánto sabes de mí? No es de extrañar que Hierro haya declarado lo siguiente:

> Para mí, el poema ha de ser tan liso y claro como un espejo ante el que se sitúa el lector. Del lado de allá está el poeta, al que el lector ve cuando cree que se está mirando a sí mismo[19].

* * *

Veamos ahora cuáles son algunos de los modelos literarios en los cuales Hierro vacía su personal visión del mundo y sus modos de dicción. Respecto a este asunto, o sea los recursos técnicos empleados por Hierro en la poesía, los estudios fundamentales de Aurora de Albornoz e Isabel Paraíso de Leal son los que más han ahondado en su clarificación y valoración. Hierro experimenta casi exclusivamente dentro de lo que se entiende por métrica tradicional, pero haciendo aportaciones valiosas en este campo, según lo ha demostrado Aurora de Albornoz.

La intención principal del ritmo poético es sostener la emoción y la atención del lector. Para esto se preocupa Hierro de que los metros sean en principio, adecuados al tema cantado y, cuando se trata de contar más que de cantar, entonces busca metros y combinaciones de recursos poéticos que no distraigan al lector con la música del verso. La insistente búsqueda de la precisión, le hace inclinarse por un tono narrativo cuando lo cree necesario.

---

[19] José Hierro, *Reflexiones sobre mi poesía,* Madrid, Universidad Autónoma, 1983, pág. 21.

T.S. Eliot, en un ensayo sobre la música de la poesía, escribía: «Cada revolución en poesía puede ser, y algunas veces puede anunciarse como que lo es, un retorno al habla común.» Y más adelante, en el mismo ensayo, afirma que «la música de la poesía, por lo tanto, tiene que ser una música que está latente en el habla común de su tiempo. Y esto significa también que debe estar latente en el habla común del *lugar* del poeta»[20]. Lo que escribía Eliot en 1942 es válido para la poesía de Hierro en general. Nuestro autor ha referido en varias ocasiones que en poesía «es preciso hablar claro» y que prefiere «la palabra cotidiana, cargada de sentido»[21]. De igual opinión es Ezra Pound, el cual apuntaba que el escritor que escribe bien expresa con precisión lo que quiere decir, y «lo dice con completa claridad y sencillez»[22].

Precisión, claridad, sencillez, habla cotidiana, esas parecen ser las normas del discurso poético de Hierro; como lo fueron de Fray Luis de León, Lope de Vega, Bécquer, Antonio Machado y ciertas parcelas de Rubén Darío y Juan Ramón Jiménez. Pero esta búsqueda de la claridad expresiva se potencia con un lenguaje abundante en imágenes que, aunque partan del decir cotidiano, responden al deseo de que el poema también participe del misterio. Entonces suenan en su voz los ecos de líricos como San Juan de la Cruz, Gerardo Diego, Rafael Alberti.

Claridad y misterio, eso es lo que a la vez busca Hierro para su poesía; y de nuevo nos encontramos que estas tensiones se unen en la obra poética que conocemos hasta ahora, al igual que se unen la musicalidad y el prosaísmo. Pero el conjunto de los recursos va siempre orientado hacia la búsqueda de una expresión adecuada de la emoción.

---

[20] T. S. Eliot, «The Music of poetry» en *On Poetry and Poets.* Nueva York, The Moonday Press, 1961, págs. 23-24. La traducción es mía.

[21] José Hierro, «Algo sobre poesía, poética y poetas» en *Antología consultada de la joven poesía española,* ed. de Francisco Ribes, Valencia, Distribuidora Mares, 1952. El autor reitera esta idea en *Poesías escogidas,* Buenos Aires, Losada, 1960.

[22] Ezra Pound, *El arte de la poesía,* traducción de José Vázquez Amaral, México, Joaquín Mortiz, 1970, pág. 78.

Ya he adelantado los nombres de poetas que de algún modo irrumpen en el estilo de la poesía de José Hierro. En general, hay que señalar que en la elaborada sencillez de su poesía se manifiesta una gran conciencia artística (Aurora de Albornoz se ha detenido particularmente en ello) y un gran sentido crítico combinado con un cierto pudor intelectual; lo que le hace a José Hierro alejarse de la pedantería a que es proclive el fácil culturalismo. De ahí que la influencia de su poesía haya sido subestimada, cuando en realidad la presencia de sus modos y tonos en la poesía que vendrá después de él es mayor de lo que se sospechaba.

Si en vez de hablar de influencias nos referimos a simpatías o coincidencias con otros escritores, entonces se puede afirmar que un libro como *Alegría* está muy cercano de la visión del mundo y del decir de Claudio Rodríguez; que muchos poemas de Hierro de orden metafísico, de reflexión sobre la existencia y la muerte, se aproximan netamente a la poesía de Francisco Brines. De igual modo se puede detectar en el primer libro de Pedro Gimferrer, *Arde el mar,* cierta familiaridad con la poesía última de José Hierro (cito algunos títulos de poemas de Gimferrer donde veo esta presencia: «Invocación en Ginebra», «Primera visión de marzo», «Julio de 1965»).

Hierro, a su vez, ha recibido el impacto de autores de la tradición literaria que le es propia y de la ajena. Se han consignado algunos de los más importantes y, además de los antes mencionados, recoge los nombres de Rimbaud, Goethe, Proust, Dostoyevski, los poetas del 27, y ciertas líneas de la lírica modernista latinoamericana[23]. A esto habría que añadir las meditaciones poéticas de Lamartine, la visión del mundo de algunas obras de Calderón de la Barca y los dominios de la música y el arte en general.

Estas presencias se resuelven a veces en préstamos literarios, usando libremente, en un nivel conceptual, ideas que

---

[23] Han tratado la presencia de Rubén Darío y de las técnicas musicales del modernismo en la obra de José Hierro, Carlos Martínez Rivas, José Olivio Jiménez, y más específicamente José Angel Valente en su libro *Las palabras de la tribu,* Madrid, Siglo XXI, 1971, págs. 83-84.

han contribuido a modular su personal visión del mundo. Los métodos de composición y estructura de la música son muy importantes para entender el conjunto de la obra de Hierro, ya que tanto en la construcción del poema como en la ordenación de los libros, la interrelación de temas y tonos es básicamente una estructura musical. Por último, la idea de unidad que quiere Hierro para toda su obra también se puede relacionar con el principio de unidad que preside la composición general de las grandes obras musicales.

A su vez, en lo que es ya propiamente la estructura del verso, se dan todo tipo de repeticiones (métricas y temáticas) y de reelaboraciones de temas. En suma, lo que podría contemplarse como un modo de intertextualidad que le es propia y que viene a confirmar dos aspectos principales de su obra: la voluntaria limitación de su mundo a algunos temas y obsesiones, y la alta conciencia artística de su voz poética. Al cabo, esto le distinguirá con nitidez de la general pobreza expresiva de muchos poetas de su misma época.

Respecto a la técnica y al uso del lenguaje, también se han podido señalar con lucidez suficiente los recursos literarios y las intenciones últimas del empleo de dichos recursos. En resumen, se podría decir que se da en la poesía de José Hierro una voluntaria retórica de los recursos tradicionales de la poesía en su aspecto métrico, a la vez que se construye una retórica semántica propia (temas, imágenes, conceptos básicos), de igual modo que léxicamente se mantiene lo más cerca posible de un uso del lenguaje hablado (incluso como se ha dicho, en los momentos en que su poesía se hace más opaca y misteriosa). Y, en conjunto, todos estos recursos se pueden reducir a la fórmula siguiente: una cuidada musicalidad que sostiene la imagen-concepto y la imagen-intuición, entrelazadas para crear la sensación de misterio y transmitir una emoción. He aquí, a mi entender, lo que define esencialmente el estilo de la poesía de Hierro en sus poemas más logrados y personales.

Ahora quiero penetrar algo más profundamente en lo que es el fenómeno poético tal y como lo entiende el autor. Creo que con alguna precisión, y con la ayuda de sus críticos más certeros y de sus propias declaraciones, he dejado descrito el resultado del producto poético de José Hierro en sus volúmenes anteriores a *Libro de las alucinaciones*. También me parece que es del consenso general, autor y crítica, que la intención final de su poesía es la expresión de la emoción. O sea, que tenemos definidas la superficie poética de su obra y su intencionalidad última. Pero cómo se origina el texto de José Hierro, o por lo menos, cómo cree él que han nacido los poemas que ha escrito: esto es lo que intentaremos describir ahora.

Cada vez que a José Hierro se le ha pedido que se pronuncie sobre su poesía, se ha referido éste a «la emoción que fue su germen»[24]. Pero entre el momento en que la emoción es sentida y el instante en que se origina el poema, media un tiempo de maduración (donde quizás las emociones vuelvan a tornársele en sus conocidas obsesiones) después del cual viene el verdadero momento de la «llamada». Es decir, se da un primer momento de emoción poética germinal y un segundo momento de revelación o imposición del poema como tal. El lapso entre un momento y otro puede variar según el capricho del tiempo.

Hierro se ha referido a este segundo momento de la revelación poética en los términos siguientes:

> El poeta ha oído una llamada misteriosa. Le invade una sensación sutilísima, intensa, que precisa transmitir. Algo hecho de ritmo y de color le desasosiega: es el tono, el acento, la atmósfera poética; eso que hay en el poema antes de estar escrito; eso que queda resonando en la memoria cuando las palabras se han olvidado[25].

No cabe duda de que es ésta una descripción tradicional, muy cercana a la idea romántico-simbolista de la «inspiración» poética. Primero la «llamada», luego una «sensación sutilísima» y después la necesidad de «transmitir» con palabras esta sensación.

---

[24] José Hierro, *Cuanto sé de mí*, pág. 8.
[25] José Hierro, «Algo sobre poesía...», pág. 100.

Ese instante de la revelación poética, de la llamada, pertenece, según Hierro, al sujeto «iluminado», después será «el lógico» el que intentará dar un cuerpo de palabras a aquella sensación, a aquella música del origen. Pero para el poeta «todo poema es confuso, ha sido arrancado de la nada de manera sonámbula»[26].

Importa para esta introducción tener muy presentes las declaraciones que Hierro hace de lo que él cree ser la génesis del poema. Porque, como se verá, al intentar describir el concepto de alucinación, nos daremos cuenta de que precisamente el mecanismo del sujeto alucinante es muy similar a lo que Hierro describe, en general, como el poeta en el momento de la «inspiración».

No es necesario hacer más preámbulos antes de penetrar en el estudio del *Libro de las alucinaciones*. Nos encontramos ante un poeta en el cual los fundamentos de su obra son en sus tres niveles —origen del poema, plasmación del mismo y fines del texto poético— de índole tradicional. Pero tradicional como lo entiende la poesía posterior a la modernidad; o sea, con el acarreo de todo lo válido en el arte y la poesía, sin limitarse al rigor de la novedad que habría impuesto la llamada tradición de la ruptura en la lírica moderna.

Si pensamos en la repercusión general que ha tenido la poesía de Hierro entre la crítica y en los lectores, también habría que llegar a la conclusión de que el gusto sigue dividido. De un lado, se da un amplio espectro de aceptación, desde una actitud más tradicional y posterior a la modernidad, que recibe la poesía de Hierro con entusiasmo. De otro, un sector neo-vanguardista que difícilmente tolera la poesía de este poeta.

Llegados a este punto, parecería ser que respecto a *Libro de las alucinaciones* se da, en un común acuerdo, la opinión de que contiene la poesía más importante de José Hierro. Y, a la vez, a los críticos como a los lectores, les parece una obra que responde tanto a un sentido tradicional de la

---

[26] *Ibíd.*, pág. 102.

poesía actual como a la tradición de la ruptura, en su dirección crítica, de la lírica moderna. Con ello, aquel espectro de aceptación se hace más amplio y abarcador. Entremos, pues, en las alucinaciones poéticas de José Hierro.

La conciencia alucinante de José Hierro

*si muchas veces en la desazón de la angustia
tratamos de quebrar la oquedad del silencio
con palabras incoherentes, ello prueba la presencia de la nada.*

M. HEIDEGGER, «Qué es metafísica»

FENOMENOLOGÍA DE LA ALUCINACIÓN

En el año en que *Libro de las alucinaciones* ve la luz
(1964) el panorama poético en España ha cambiado netamente de dirección. Después que Hierro publicara su primer libro, 1946, había aparecido un nuevo grupo de escritores que ensanchó el ambiente poético en la península, fa-
cilitado así la entrada en el ámbito literario de los poetas más jóvenes. Nombres como los de Francisco Brines,
Claudio Rodríguez, Angel González, Jaime Gil de Biedma
y José Angel Valente, le son ya familiares por estos años,
al lector español. Desacreditada la poesía de mensaje ex-
clusiva y mecánicamente social, José Hierro es uno de los
poetas que permanece más firme por su reconocido rigor,
por su fidelidad estética, y por el fuerte nervio emocional
que informa toda su poesía. Su obra, aunque llevando la
huella de la guerra civil y de la desafortunada posguerra,
se sostiene sobre una conciencia estética sin desmayo, la

cual supera el superficial compromiso social, pues aunque éste exista en su poesía, nunca se produce en detrimento del rigor poético.

Pero los lectores de José Hierro esperan algo que se viene anunciando ya desde sus primeros libros: una poesía donde la intuición ocupe un lugar más importante que el concepto. Una poesía donde la voz del lírico sereno que obra armado de un gran conocimiento de su oficio, deje ya paso totalmente al poeta romántico que lleva dentro una imaginación más libre.

La acogida que obtuvo *Libro de las alucinaciones* fue consecuente con estas expectativas, y con el reconocimiento que ya había justamente conseguido su obra anterior. Pero pasarían algunos años antes de que se escribieran ensayos que calaran con la profundidad debida en esta nueva entrega del poeta. No obstante, creo que cierta imprecisión predomina al referirse a lo que puede ser una teoría de la alucinación poética tal y como puede deducirse de los poemas reunidos en este volumen de Hierro.

En general, cuando la crítica se refiere al *Libro* se recurre a términos más vagos que en los estudios de las otras obras del autor. Esto es natural, ya que nos encontramos ante una poesía altamente imaginativa. Por lo tanto, la «sensación de extrañeza» (José Olivio Jiménez) que ya venían provocando algunos poemas de *Alegría* se hace aquí casi un denominador común de todos los textos. El mismo sujeto poético aparece desdoblado en un «otro», que es contemplado en una «situación extraña» (Aurora de Albornoz). Para Emilio E. de Torre se da en estos poemas una más radical alienación del sujeto poético y del mundo, pues parecería que «la alucinación representa una separación del ser y las cosas»[27].

Pero, ¿a qué se debe esta ruptura, esta confusa mirada del poeta, esta pérdida del sentido de realidad y de unidad entre el sujeto y el mundo? Se puede deber, según la crítica, al «desencanto de la historia» (J. O. Jiménez y P. J. de

---

[27] Emilio E. de Torre, *José Hierro: Poeta de Testimonio,* Madrid, José Porrúa Turanzas, 1983, pág. 82.

la Peña). Mas también proviene esta mirada de la constatación impecable de un «vacío personal... lúcidamente aceptado»[28].

En efecto, ya veremos cómo ha sido el mismo poeta quien al teorizar desde la poesía, sobre la «alucinación» ha dejado claro que es el vacío el origen de la escritura de estos poemas alucinados. El mundo pierde su significado, se hace pura oquedad, y la persona a su vez se siente vacía por dentro; por lo tanto, ya no importa que lo que aparentemente es real aparezca afantasmado, irreal, y que lo que son puras ideas, objetos mentales, se proyecten en el ámbito de lo real como verdaderamente existentes. Así, el cuerpo real y la idea del cuerpo se ven como valiendo por sí mismos, y de esta doble valencia aparece el yo como un otro.

Aurora de Albornoz ha sido la que más ha profundizado en esta actitud del desdoblamiento del sujeto poético en el *Libro* y en la obra anterior de Hierro. Se trata, dice la escritora, de «desdoblar la personalidad en dos *yo,* para ponerlos frente a frente»[29]. En opinión de Aurora de Albornoz, este tipo de desdoblamiento y la proyección de la voz lírica en los objetos animándolos de una vida que se origina en el poeta y que es de orden mágico, son parte del hecho de que en la obra de Hierro se dé «una conciencia, clara, de que "yo puedo ser otro"; que "yo es otro"»[30].

Esta huida de sí mismo, este querer alejar su yo representándose como ajeno, es esencial para entender el concepto de alucinación desde un punto de vista estrictamente psicológico. Pero por ahora, y quedándonos dentro de lo señalado por la crítica, veamos cómo se realiza textualmente esta extrañeza poética del yo, y cuáles son los recursos que emplea José Hierro para lograr que el lector capte dicha sensación.

Siguiendo a la sombra de lo escrito por Aurora de Albornoz, ésta nos dice que uno de los recursos notables del

[28] José Olivio Jiménez, «José Hierro en su *Libro de las alucinaciones*», en *Diez años de poesía española*, Madrid, Insula, 1972, pág. 126.

[29] Aurora de Albornoz, *José Hierro*, pág. 115.

[30] *Ibid.*, pág. 116

Libro es lo que en retórica se ha dado en llamar «personificación», pero una personificación que se hace a través de la «animación de lo inanimado». También se dan «inserciones» de fragmentos de conversación o de frases sueltas. «Collage» de palabras oídas o palabras escritas, a veces con referencias culturales, otras puramente de la vida cotidiana. Las superposiciones temporales y espaciales, en ocasiones de épocas y lugares muy lejanos, son también recursos básicos de este libro.

En conjunto, se podría decir que frente a la linealidad narrativa que rige el curso del tiempo en el relato poético (con su desenlace final, cargado de sorpresa emotiva y a veces epigramática), parecería que una mayor porosidad poética (en lo temporal como en lo temático) se da en el *Libro*. Y ello resulta en la creación de un ambiente menos enclaustrado, tanto desde el punto de vista métrico como del tratamiento de los temas poéticos. A la vez, la voz poética se libera del psicologismo de un yo único, pues al desdoblarse le será posible mirarse (y al personaje que la imite) a sí misma, desde muchas perspectivas. Y, por último, un mayor bagaje culturalista informa el conjunto de este *Libro*, apuntando, según de Albornoz, hacia direcciones que los poetas más jóvenes habrían de seguir algunos años después.

Veamos ahora cómo se puede definir la alucinación y el fenómeno alucinatorio en la poesía de Hierro. Para José Olivio Jiménez la alucinación es «la percepción de vanas apariencias, algo que no existe, en virtud de una falacia de la imaginación»[31]. Y, en efecto, la alucinación viene a ser esa representación de un objeto interior trasladado al exterior y visto como un objeto real. El mismo crítico, tratando de profundizar en la definición del fenómeno escribe que «la alucinación es, en fin de cuentas, experiencia difusa, evanescente, hecha de sugestiones y vislumbres más que de las nítidas concreciones»[32].

---

[31] José Olivio Jiménez, *Diez años de poesía española,* pág. 128.
[32] *Ibíd.*, pág. 140.

En lo apuntado por Jiménez coincide gran parte de la crítica y sería inútil seguir glosándole. Si miramos bien lo que aparece en el párrafo anterior, notaremos que la definición de la alucinación se aproxima en general a lo que fue uno de los puntales de la estética simbolista. Sucede que también José Hierro ha dejado una idea bastante clara de lo que él entiende por alucinación, tanto en su prosa como en su poesía.

Ya vimos antes que Hierro, al referirse al origen del poema, hablaba, de un momento de «iluminación», instante en el cual una vaga música se le manifestaba al poeta impeliéndole a escribir. Al aludir a su distinción entre reportaje y alucinación dice de la segunda que «todo aparece como envuelto en niebla. Se habla vagamente de emociones, y el lector se ve arrojado a un ámbito incomprensible en el que le es imposible distinguir los hechos que provocan esas emociones»[33].

Tanto los críticos como el autor reconocen que el proceso y la maduración de una poesía alucinatoria se inicia desde sus primeras entregas poéticas, y es en *Libro de las alucinaciones* donde culmina.

Aurora de Albornoz ve en la poesía de corte alucinatorio una influencia directa del Gerardo Diego creacionista, y las alucinaciones le parecen como un cierto homenaje al Arthur Rimbaud de *Illuminations*. Yo iría má lejos, y diría que si se observa bien la sección los «Délires» de *Une saison en enfer,* específicamente «Alchimie du verbe» hay más indicios de una verdadera familiaridad, o cercanía, entre la obra de Rimbaud y las alucinaciones de José Hierro. Veamos lo que escribe el poeta francés:

> Me habituaba a la alucinación simple: francamente veía una mezquita donde había una fábrica, una escuela de tambores construida por ángeles, calesas por los caminos del cielo, un salón en el fondo de un lago; los monstruos, los misterios; un título de «vaudeville» cómico levantaba espantos ante mí.

---

[33] José Hierro, «Prólogo a *Poesías completas*», pág. 17.

¡Luego yo explicaba mis sofismas mágicos con la alucinación de las palabras![34]

Es precisamente de esta alucinación de las palabras, como una explicación de los sofismas mágicos, de lo que se trata en la alucinación de José Hierro. El poeta español, sin llegar al extremo de decirse que: «Je finis par trouver sacré le désordre de mon esprit», sí acepta su mundo de alucinaciones como una forma de llenar «el instante vacío»:

> Imaginar y recordar...
> Hay un momento que no es mío,
> no sé si en el pasado, en el futuro,
> si en lo imposible... Y lo acaricio, lo hago
> presente, ardiente, con la poesía (396-397).

Mirando ahora hacia el hipotético origen del sentido y la técnica de la alucinación en la tradición de la poesía española, se podría decir que dos de los autores que más familiares son a José Hierro posiblemente hayan influido en la formulación de la teoría y práctica de la alucinación. El primero sería el Juan Ramón Jiménez del poema *Espacio*. Desde mucho antes que Octavio Paz lo pusiera de moda, en España, ya Hierro elogiaba este poema con fervor. Por otro lado, está el Antonio Machado de *Recuerdos de sueño, fiebre y duermevela*[35]. José Hierro, refiriéndose a este Machado, escribe algo que bien puede servir para definir su propio *Libro de las alucinaciones*:

> De nuevo el hombre Antonio Machado vuelca sus experiencias y sus sentimientos, sus alucinaciones en los versos, consigue acentos nuevos, se acerca a una cierta poesía visionaria, aunque no se atreva a emplear el irracionalis-

---

[34] Arthur Rimbaud, *Oeuvres complètes,* édition établie, présentée et annotée par Antoine Adam, París, Gallimard, 1972, pág. 108. La traducción es mía.

[35] Para la relación de la obra de José Hierro con la de Antonio Machado véase José Olivio Jiménez, *La presencia de Antonio Machado en la poesía española de posguerra,* Lincoln, EE.UU., The University of Nebraska-Lincoln, Society of Spanish and Spanish American Studies, 1983.

mo como forma de expresión de ese mundo ilógico, extraño, fantástico que traslada a sus versos[36].

Como se notará, están aquí los elementos esenciales que
pueden definir el libro de Hierro: poesía de orden visio-
nario, nunca totalmente irracional, para expresar un mundo extraño, fabulado, ilógico, en última instancia también
absurdo. Y en este punto nos acercaríamos de nuevo a un
pensamiento existencial en el origen de esta poesía de Hierro, pues si el mundo puede llegar a ser absurdo, incohe-
rente ¿por qué expresarlo racionalmente?, ¿por qué no
crear un personaje que también alucine?
Veamos ahora la teoría de la alucinación tal y como la
ha descrito el poeta. El *Libro* se abre sorprendentemente
con un título que connota una alta racionalidad: «Teoría y
alucinación de Dublin.» Tomo este rótulo como emblemá-
tico para entender el *Libro* y la idea de la alucinación: en
la base del conjunto de los poemas reunidos se da una gran
lucidez, lucidez que alucina, «sueño de la razón», pero no
un absoluto alucinar, ni un absoluto soñar. También se puede observar con cierta extrañeza la alusión a una ciudad,
Dublin, que sin ser del todo exótica para el lector europeo,
sorprende en un poeta tan pegado a su tierra como es el
Hierro de sus libros anteriores. Cordura, pues («teoría»),
extrañeza psicológica («alucinación») y espacial («Dublin»).
Es cierto que se ha dicho siempre que hay que descon-
fiar de la exégesis de los poetas sobre su propia obra.
A su vez, José Hierro ha escrito que:

> Intentar definir la Poesía es propio de locos, es decir: de
> poetas. Cada poeta lo intenta por medio de sus poemas y
> siempre lo logra imperfectamente. Cada poema constituye
> un fracaso y, por lo mismo, es un estímulo para escribir el
> siguiente[37].

---

[36] José Hierro, «Prólogo» a *Antonio Machado...*, pág. XXI.
[37] José Hierro, «Algo sobre poesía, poética y poetas», pág. 99.

Si el ser humano es como un Sísifo que perpetúa la celebración de la vida, su continuo fracaso y volver a empezar, subiendo la piedra al monte que ha de bajar de nuevo, el poeta, para Hierro, es también de la estirpe de Sísifo; y su poesía sería el reflejo de una inútil tarea (la de intentar definir la poesía) y el poema un testimonio de su fracaso. Pero a la vez, el poeta no puede, como el hombre, escapar a su destino, pues «la esclavitud es Sísifo» (111), escribe Hierro.

Este fracaso poético que fomenta la repetición del acto de escribir, es un correlato del dolor lúcidamente asumido como una forma de alcanzar la alegría, que, ya se vió, es la vena de su permanente visión del mundo. También, y esto lo escribía Hierro diez años antes de iniciar su *Libro,* el propio poeta siente que su obra ha fracasado.

> Ser un fracasado es estar aldeanamente enamorado de un tiempo, supeditar la poesía al documento vivo y cálido. Es una de mis limitaciones. Lo sé, pero no lo puedo evitar[38].

Si tomamos esto al pie de la letra y lo confrontamos con el título del poema que queremos comentar, se notará que la transformación lenta de la poesía de José Hierro, lo ha llevado a una maduración que bien podría parecer casi una rebelión contra sí mismo como hombre y como poeta. Precisamente en el poema «Teoría y alucinación de Dublin» nada hay ya de aldeano, documental, ni significa una limitación. Por el contrario, se trata de una gran apertura, signo general bajo el cual se inscribe *Libro de las alucinaciones* dentro del panorama de la poesía española de los años sesenta.

En la primera parte de «Teoría y alucinación de Dublin» nos encontramos con que el fenómeno poético se define como «palabras vivas» y como una «acción de espectros». Más adelante se da una concreción plástica de estos conceptos abstractos y la poesía aparece «como el viento» o «fuego» o «mar», todo lo cual da «apariencia de vida / a

---

[38] *Ibid.,* pág. 106.

lo inmóvil». Y aquí reside la función del poeta que es como un espectro a quien sólo le es posible realizar una «acción de espectros», impelido a escribir frente al «instante vacío».

Esta fantasmagoría del poeta y de la poesía, Hierro la contrasta con el hombre que está «henchido de acción» real y con «el caballo», «la gaviota» y aun el mismo «hombre» que no necesitan ni «viento» ni «mar» ni «fuego» para estar vivos. Lo que por ahora importa para intentar definir la alucinación, es retener su acercamiento a la idea de la poesía y del poeta como algo afantasmado y sin concreción.

La segunda parte del poema que estoy comentando lleva por título «Alucinación» y desde un principio nos encontramos que «imaginar y recordar» vienen a ser para el poeta-espectro la misma cosa. Y ello es lógico si nos atenemos a la identidad que le confiere Hierro al poeta y a la poesía en su «Teoría»: «acción de espectros». El poeta viene a ser ese muerto que sueña el tiempo o lo imagina «es un espectro / que persigue a otro espectro del pasado» (95).

La tendencia a presentar el mundo propio desde un «yo muerto» (señalada por Aurora de Albornoz) se convierte, dentro del *Libro,* en una de las perspectivas principales desde la que se ve las cosas. Y así se puede representar al personaje poemático como a un ahogado, o un enterrado que ve a sus hijos traerle flores de plástico.

Viene a ser, pues, una alucinación poética, la formulación imaginaria de ese ser fantasmal que es el poeta, cuya labor es igualmente espectral, pues hace parecer vivo aquello que no lo está. Dentro de este estado de cosas, el tiempo pierde todo su sentido, y pasado, presente o futuro son una imagen más y del mismo valor, en este mundo imaginario que es el que establece la alucinación. Referido el conjunto de la alucinación, como el de la poesía, a un plano psicológico o existencial, vendría a ser la alucinación-poema una respuesta a un vacío que al hacerse intolerable se trata de llenar con las fantasmagorías poéticas. Veamos ahora desde un punto de vista algo más científico qué es lo que se entiende por una alucinación y un sujeto alucinante, y hasta qué punto esto se puede comparar con la alucinación y el sujeto poético.

El sujeto que alucina, el «alucinante» en el proceso alucinatorio, pierde la capacidad de distinguir entre lo que es un objeto interno y una realidad externa. Y cuando a esos objetos internos les da paso al mundo exterior, los acepta como reales hasta el punto de que el sujeto puede llegar a la pérdida total del sentido de la realidad[39]. Este proceso de alucinar lo podemos observar en el análisis del «texto alucinatorio», o sea, en nuestro caso, del poema.

Lo que estoy tratando de describir ahora es el sujeto poético que se puede inferir de una lectura del *Libro*. Detrás de ese sujeto, claro está, se sitúa el poeta, José Hierro; pero no pretendo sugerir que José Hierro haya sufrido las alucinaciones que serían la base de estos textos, sino que ha reconstruido con sus poemas la situación de un sujeto poético en estado de alucinar, creando así una máscara poética que representa a ese sujeto que alucina[40]. El único momento en que el autor mismo haya podido coincidir como sujeto poético y como máscara, sería el instante de la revelación del poema del modo en que Hierro la ha descrito. Pero ni la duración de esos instantes poéticos ni la certidumbre de que haya tenido lugar, se puede deducir de los

[39] Carlos Castilla del Pino, *Teoría de la alucinación. Una investigación de teoría psico(pato)lógica*, Madrid, Alianza, 1984. Este libro me ha sido fundamental para la definición del fenómeno alucinatorio. Algunos de los términos que uso provienen de Castilla del Pino, pero evito la nomenclatura científica que haría difícil el entendimiento de este texto para los no especializados. La definición técnica que da Castilla del Pino, y que yo he glosado en mi trabajo de una forma más pedestre, es la siguiente: «ALUCINACIÓN: Proceso mediante el cual tiene lugar la acción de alucinar. El proceso se caracteriza por la pérdida de la capacidad diacrítica [capacidad que el sujeto posee para dirimir, de un objeto denotado, si es un objeto externo o interno] en el momento denotativo de los objetos internos, convirtiéndo a éstos en externos y siendo parasitado ulteriormente por ellos: en esto consiste el *proceso* alucinatorio.», pág. 16.

[40] Me parece ejemplar para este tema de la «máscara poética» el libro de Antonio Carreño, *La dialéctica de la identidad en la poesía contemporánea. La persona, la máscara*, Madrid, Gredos, 1982. También es de gran interés para el tema el libro de Franco Ferrucci, *The Poetics of Disguise. The Autobiography of the Work in Homer, Dante, and Shakespeare*, translated by Ann Dunnigan, Ithaca and London Cornell University Press, 1980.

textos a que nos enfrentamos. O sea, que nos encontraríamos con un proceso que se desenvuelve en el poeta y que se ordenaría como sigue: 1) intuición poética que se pude confundir con una alucinación real; 2) reproducción en la imaginación de esa intuición a través de un personaje simbólico en estado de alucinación; 3) conceptualización poemática por medio del texto alucinatorio o poema. En este texto alucinatorio que es el poema quedan reminiscencias de las vivencias del autor, el instante de la intuición poética, y a veces el proceso mismo de escribir el poema se hace presente en alusiones específicas y reflexiones directas sobre la poesía.

Maurice Merleau-Ponty prefiere describir la alucinación desde un punto de vista ontológico y, frente a la alucinación vista como puro fenómeno intelectual, establece que «aun cuando la alucinación no sea una percepción, se da una impostura alucinatoria» y esta «vale como una realidad»[41].

Si a la explicación psicoanalítica de Castilla del Pino le sumamos la dimensión epistemológica de Merleau-Ponty, estaremos más cerca de lo que podía ser una teoría de la alucinación poética. Porque en efecto, la alucinación poética en José Hierro es el producto de una doble tensión: una de orden existencial y otra dotada de proyección metafísica —que está frecuentemente ligada a una reflexión sobre el fenómeno poético. Desde el punto de vista lógico-psicoanalítico de Carlos Castilla del Pino, el instante poético es lo que más se aproxima a la alucinación pura. En cuanto a la perspectiva epistemológica de Maurice Merleau-Ponty, el poema sería la descripción de una impostura de la percepción, legitimada como una percepción real a través de la poesía.

Para Merleau-Ponty «el alucinado no ve, no oye en el sentido del normal, utiliza sus campos sensoriales y su inserción natural en un mundo para fabricarse con los es-

[41] Maurice Merleau-Ponty, *Fenomenología de la percepción,* traducción de Jem Cabanes, Barcelona, Península, 1975, págs. 354-355.

combros del mismo un medio ficticio, conforme a la intención total de su ser»[42]. Y es precisamente esa angustia de saberse insatisfecho, incompleto, la que se puede detectar en el *Libro*. Por lo tanto, el sujeto poético tiende a aparecer como idealizando lo visto o lo deseado. Y para eso tiene que perder su sentido de la realidad, la cual le presenta un mundo empírico que ya no le atrae, que lo siente como vacío, y que reemplazará por sus fantasmagorías, por sus alucinaciones. Y «tener alucinaciones, y en general imaginar, es sacar partido de (la) tolerancia del mundo antepredicativo y de nuestra proximidad vertiginosa con todo el ser en la experiencia sincrética... (es) el poder de volver a la indistinción primitiva de lo verdadero y lo falso»[43]. Es, en suma, el retorno a una inocencia originaria perdida en el diario comercio con lo empírico y en el empeño unilateral de un conocimiento exclusivamente racional.

Nos encontramos ante un problema esencialmente metafísico, en opinión de Ponty, según el cual, las intolerables circunstancias que nos rodean nos impulsan a este viaje de retorno a un mundo armónico, donde el ser y las cosas se integran en una sola intención. En el caso de José Hierro, el retorno que se intenta con el *Libro* es hacia un momento de plenitud en el pasado, ya fuera esta plenitud real o imaginada, un momento perdido, un punto en el tiempo donde pasión, amor y armonía con el mundo pudieron coincidir. Y cuando ese instante precioso parece inasible se va aún más hacia atrás, buscando las situaciones felices de la vida, hasta llegar a la infancia.

Castilla del Pino nos habla también de que la función de la alucinación es la de «obtener la homogeneidad del *self* [imagen que se posee de alguien, la que le confiere su identidad, es decir, su diferenciación], dada la imposibilidad del S [sujeto] de aceptar su heterogeneidad»[44]. Así, el sujeto alucinado se transforma en «otro»; y vendría de este modo

---

[42] *Ibid.,* pág. 354.
[43] *Ibid.,* págs. 356-357.
[44] Carlos Castilla del Pino, *Teoría de la alucinación,* pág. 181.

a expulsar de sí, a través de la alucinación, a aquel sujeto indeseable que era inaceptable para la mismidad.

El poeta, en efecto, suele objetivar en la poesía sus obsesiones, —y se saca así lo que José Hierro, siguiendo a Goethe, quiere llamar su «demonio». También en el sujeto que alucina se advierte «una conciencia dolorosa y sufriente, un sufrimiento crónico precursor de la escisión aliviadora que culminará co la Al [alucinación]»[45]. Y esto, según Castilla del Pino, proviene de llevar una vida doble. Qué duda cabe que el sujeto poético, tal y como lo describe Hierro en sus poemas, está casi siempre desdoblado, pues no solamente ve dos espacios totalmente ajenos el uno al otro (Dublín/Madrid), sino que también se le sitúa hablándonos desde la muerte y como viendo a los vivos a su vez.

De haber existido, en el origen de algunos poemas del *Libro,* unas circunstancias reales que provocaran en el poeta una breve alucinación, o una intuición poética semejante a la alucinación, tal proceso vendría a tener coherencia con un cierto retrato del poeta que podemos deducir de sus intenciones al escribir poesía: la intención de documentar su emoción y su pasión. Pues «la transformación de la idea en imaginación de los sentidos que es la alucinación, deviene así por una emoción poderosa o una pasión violenta»[46].

Como se vio, por un lado, la crítica se ha ocupado básicamente de describir la respuesta del lector al *Libro,* y por otro se ha señalado que el origen de una escritura alucinada en Hierro proviene de su desencanto consigo mismo y con la Historia; el todo cifrado en un vacío general. Pero donde creo que no se ha puesto suficiente énfasis es en subrayar que en este *Libro,* más que en ninguna otra obra de Hierro, el sujeto poético de gran parte de los poemas es como una máscara detrás de la cual se oculta el autor apenas reconocible. Por esta razón, las emociones trasmitidas son también más vagas, pues lo que se comunica es un ambiente de confusión mental y un retrato emborronado del autor. Curiosamente, se encuentran en el mismo *Libro*

---

[45] *Ibid.,* pág, 182.
[46] *Ibid.,* pág. 40.

los poemas más directamente autobiográficos del autor. Enmascaramiento, pues, de las emociones y, a su vez, intento de presentar con más honestidad que nunca el rostro desnudo de su vida personal, civil y familiar.

Alucinar es una forma de escindir la mismidad, el sujeto en su doble como otro; y en efecto, es así como nos presenta Hierro el personaje poético en su *Libro*. La alucinación sería de este modo una forma de objetivar la angustia existencial, de sentir la esencial heterogeneidad del ser, que añora una homogeneidad perdida a través del conocimiento y de su experiencia como ser vivo. Para afirmar esto, aunque lo podamos deducir de una lectura de la poesía completa de José Hierro, no tenemos los suficientes elementos en el *Libro*. Sólo considerando este volumen como suma y recapitulación de sus obras anteriores —así lo hace Aurora de Albornoz—, o sea como el nivel reflexivo de su labor poética y existencial, podríamos llegar a la conclusión de que en efecto es este *Libro* una radiografía espiritual de José Hierro, y que lo expresado por el sujeto poético y lo sentido por el poeta son una sola cosa.

En el *Libro* es donde José Hierro se oculta con mayor artificio poético y, por lo tanto, con más alta imaginación y voluntad creadora. Esta expresión voluntaria de la propia identidad del autor vendría a ser irónicamente la que libertara su total capacidad de creación rigurosamente poética. Tanto los límites métricos como el deseo de claridad, la voluntaria narratividad anecdótica como los finales epigramáticos cargados casi didácticamente de una sola emoción, disminuyen considerablemente en el *Libro*, en comparación con la obra anterior del autor.

Por esa borrosidad anecdótica del discurso, es a su vez, también en el *Libro* donde practica Hierro una síntesis de su autobiografía interior con claridad meridiana y sin máscaras. Se da en esta obra un proceso de retorno hacia la infancia en búsqueda de los instantes felices y de exaltación de la vida. Este viaje de retorno pasa retrospectivamente por la llegada de los hijos, el matrimonio, el encuentro amoroso, la pasión y el conocimiento amoroso, el encuentro alegre con la naturaleza y por fin la niñez misma. Por otro lado, se acelera el tiempo hacia el futuro, la muerte y más allá de ella. En ese «después de la muerte» es donde parecería encontrarse ahora la serenidad, el reconocimiento del verdadero sentido de la existencia, de la belleza y del mundo.

El *Libro* ha de verse así, como un repaso del pasado en aquellos momentos de exaltación que imponen las revelaciones últimas de la muerte; y también como la constatación de un malestar, de un desencanto, del presente. Y ese malestar parece el producto de una expulsión, voluntaria o no, de la pasión y la intensidad del poeta que ha querido siempre relacionarse con la vida y con el mundo. Todo esto es lo que gracias a la síntesis que permiten las imágenes de los poemas-alucinaciones se recoge en el *Libro de las alucinaciones*.

CRÓNICA OSCURA DE LA EXALTACIÓN, EL FRACASO Y LA MUERTE

El *Libro de las alucinaciones* es, en su conjunto, la «crónica oscura» de una intensa pasión vital objetivada por José Hierro en un personaje poético central que ha perdido el sentido de la realidad y quien, a la vez, se ve impulsado a replantearse todos los valores que sustentan el mundo que le rodea. La cara del sujeto que se describe como alucinado, objeto de las alucinaciones, el es «otro» que no se puede ni se quiere aceptar sino como un ente imaginario, un fantasma. Lo que le ocurre a este héroe poético se sitúa del lado de la fabulación, de la inexistencia que permite la alucinación. Es para el poeta una forma de descartar este sujeto como real, de rebajarlo al rango de un fantasma. La otra cara del personaje del *Libro* nos es más familiar, es el conocido sujeto que reflexiona sobre la poesía, la existencia, el tiempo; y que, aunque alucine, no es él jamás, en tales momentos, el sujeto alucinado, no es el otro. A su costado está el sentido de la realidad: este es el personaje que al final de libro dice: «Perdóname. No volverá a ocurrir» (169); es el personaje «ya sin demonio ni alucinaciones» (171). Este es el personaje que saborea solamente «la sal que dejaron las olas / de los días al derrumbarse» (133). Es el nostálgico que conserva una imagen de «lo que tú fuiste un día, / lo que eres para siempre en un punto del tiempo y del espacio, / en el que escarbo inútilmente / con el afán de un perro hambriento» (130).

El primer personaje mira hacia el Dublin imaginario —quizás el correlato objetivo de un deseo—, el segundo hacia el del Madrid real (de «Teoría y alucinación de Dublin»). Madrid es la «teoría», la razón, el que recuerda, Dublin es la imaginación, el recuerdo vivido y ocultado, la pasión, lo inaceptable en el presente. Pero el personaje que teoriza y el que vivió la vida plenamente o creyó vivirla, son al cabo un solo personaje, que se formula en una comunidad de dos tiempos y espacios diferentes gracias a la capacidad de síntesis de la poesía. El primero es el que nos habla desde la claridad meridiana de la razón; el segundo es el que nos cuenta una «crónica oscura» porque escribió «confuso, / aludiendo, para que nadie / desentrañe el secreto» (355). Y esto ya lo decía Hierro en un libro anterior.

Estos dos personajes que parecen ser sólo uno componen la identidad escindida del *Libro* y son en su conjunto el haz y el envés de la máscara del poeta; pero una máscara llena de autenticidad, pues es el medio que se da el poeta José Hierro de conocer y de que nosotros nos conozcamos mejor. Recorramos ahora, de la mano de estos dos héroes poéticos, sus mundos diferentes; y al final podremos recomponer con más exactitud la identidad de esta máscara doble que nos ayuda a conocer el mundo, y a nosotros mismos. Y quizás también llegue a reconocer (como pensaba Gastón Bachelard) que la máscara absoluta es la máscara de la Muerte.

Desde el principio de este *Libro,* nos encontramos con un personaje que intenta definir lo que es la poesía y el origen de la escritura. Este personaje se halla frente a «un instante vacío», el cual puede llenarse con «nostalgia» o con «vino», pero también con «palabras vivas», es decir, con la poesía. Pero la poesía no es acción, vida, ni puede dar acción a su lector. La poesía es «acción de espectros», «apariencia de vida», por lo tanto, máscara, impostura, fantasmagoría. Es en este sentido en el que la poesía es máscara: en el que repite los rasgos humanos con su caligrafía, pero ofreciéndonos al cabo sólo una imagen, un fantasma, un disfraz. A su vez, hay una intencionalidad muy obvia e ingenua detrás de la construcción de toda máscara: la de la ocultación. Porque la máscara oculta los rasgos individuales del poeta, como el poema escrito los del habla común que utiliza, pero también revela los deseos del poeta (la fijación de unos rasgos) a través de esa máscara.

Algo más intrigante y misterioso hay siempre en una máscara poética: los huecos por los cuales la visión atraviesa, por donde los ojos del individuo ven. Por mucho que se quieran cubrir, esos ojos siempre estarán allí, traicionando a la máscara, revelándonos la identidad de la persona que detrás de ella se oculta. La poesía del *Libro* es esa máscara, pero por los huecos se ven aún vivos los ojos del poeta, su mirada al mundo: Máscara, rostro oculto, y mirada viva, he aquí los tres niveles del poema.

Una tradición ya en la poesía de siempre es el enmascaramiento, o la objetivación de lo propio a través de personajes que culturalmente tienen cierto prestigio; veamos como usa este recurso Hierro. En «Retrato de un concierto» el lector descubre rápidamente que no estamos aquí ante una objetiva descripción de un acontecimiento en la vida de J. S. Bach. En el fragmento IV de este poema tenemos el texto más erótico que jamás haya escrito Hierro. Pero de nuevo se muestra la máscara de un «tú» de difícil ubicación aunque de clara índole amorosa. Se trata de diseñar un ser que no es ninguna de las dos identidades aparentes sino otra, más oculta, enigmática e indescifrable:

> Ahora que escribo, pretendiendo
> dibujar, sin otro afán
> que comprender y comprenderte,
> me acuerdo de tus ojos. Ellos
> poseían tal vez la clave.

Los dos seres que eras, miraban
con los mismos ojos, distantes
y fríos. No pertenecían
a tus dos vidas, sino a otra
que era tal vez la verdadera (122).

El personaje aquí es una mujer cuyo nombre, Solveig, a pesar de sus connotaciones literarias y musicales (es un personaje de la obra teatral de Ibsen, *Peer Gynt,* a la cual después puso música E. H. Grieg), es usado en el poema como
característico de un nombre nórdico típico, y que para el
poeta viene a simbolizar la frialdad y distanciamiento del
personaje que describe y que debió existir en realidad.

Pero vamos a seguir ahora el curso doble de la búsqueda
de una identidad, tanto como afirmación o negación, que
contiene el *Libro.* En un poema como «Historia para muchachos» está retratada toda la vida del poeta, y también
la opinión de que su verso no podrá reflejar jamás la emoción de los actos de que se compuso su existencia. La «alta»
tensión emocional de la confesión y recuento de una vida
se ve interrumpida con una leve ironía: *«nel mezzo del camin di nostra vita* / (hago la cita para que digáis / que en
esta historia existe, por lo menos, / un verso bueno: justo
el que no es mío)» (165). También una ruptura irónica de
estructura; cuando parece estar hablando desenfadadamen-
te escribe «...Bueno para cortar» (forma coloquial de expresar que se cese la conversación), y luego nos sorprende
lo que sigue: «con un hacha» (161). De igual modo cuando
leemos «Un sueño de oro entre las dos sirenas» (que parecería una frase llena de un falso estetecismo), tal esguin-
ce preciosista, se ve contrastado por un prosaísmo lleno de
cotidianidad: «que interrumpían el trabajo» (162). Es un intento de quitarle dramatismo a una narración emocionante
de su vida: y aquí estamos frente a una máscara de falsa
ironía. En verdad, con sólo reproducir el final del poema,
puede uno darse cuenta de la emoción profunda que aca-
rrea el repaso que de su existencia hace el poeta.

Se podría contar toda la vida de José Hierro con este poema y verificar punto por punto los datos que en verdad

son los que sustentan el texto. Pero hay otro nivel quizás más importante para desentrañar el origen de las alucinaciones: el nivel de la transformación emocional que tiene lugar después de haber padecido y visto un acontecimiento, en este caso, la guerra. Cuando ya sufrida la cárcel, y después de ver «un hombre muerto, / y otro hombre... Muertos calzados / con alpargatas nuevas, su sudario» (163), se vuelve al mar; y este hombre ya está cambiado, y trastorna su visión de la realidad. Lo que siente junto al mar es lo siguiente:

> Las gaviotas bajaron a picarlo.
> Pero las alas eran alpargatas
> en los pies de los muertos. Y la música
> del mar era el *Dies irae*... (164).

He aquí la gran transformación que ha sufrido el corazón del poeta; lo que vio (las alpargatas en los pies de los muertos) se han convertido en alas de gaviotas. O más bien, ya no se pueden ver las alas de las gaviotas como algo hermoso y nada más, sino que lo que viene a la mente del poeta y del lector, son las alpargatas de los muertos. O sea, el poeta ilusiona, pues sobrepone a un objeto exterior —las alas de las gaviotas— un objeto interior que le obsesiona: las alpargatas de los muertos. Y aunque no podemos hablar aquí de alucinación en el sentido estricto de la palabra, creo que es lícito pensar que nos encontramos en este poema ante una verdadera «poética» de las alucinaciones; y más lograda quizás que la misma «Teoría» que hemos comentado antes, pues ésta es ahora una teoría en acción. Si nos atenemos al ejemplo anterior, las alpargatas de los muertos vistas reemplazan las alas de las gaviotas. (Pienso que éste es el fenómeno básico que sostiene la idea de la alucinación como se puede deducir de una lectura del *Libro*.)

Por lo que el objeto visto sin dejar de ser lo que es (las alas de las gaviotas) se carga de una emoción que le es totalmente ajena (la emoción de ver unas alpargatas en los pies de unos muertos) y que forma parte del mundo privado del escritor (su experiencia de la guerra cuando era joven). No es que el poeta quiera construir un ser absurdo, una gaviota con alpargatas como alas, sino que las alas de las gaviotas transformadas en alpargatas despiertan en la mente del poeta la emoción de los cadáveres vistos en la guerra[47].

Imponer a un objeto presente la huella emocional dejada por algo ocurrido en el pasado (recordar) e imaginar una emoción (un recuerdo) no vivida y aplicársela a ese mismo objeto, es intercambiable en la «alucinación» —es decir, en la poesía según la entiende Hierro (y particularmente en el *Libro*). Vivir en Madrid y acordarse de los árboles de un Dublin no vivido, tienen el mismo rango de verdad en la alucinación, porque lo que se busca es la emoción de esa vivencia, no su realización; por esto lo que importa es que «me acuerdo de los árboles de Dublin... / Alguien los vive y los recuerdo yo» (94). O que en «Alucinación en Salamanca» se recuerde una Italia desconocida. También se puede evocar un mar posiblemente visto pero ahora fantasmal, pues se le recuerda desde debajo del mar: «Aún recordamos; es lo malo. Este mar, por ejemplo, / pero visto desde la playa» (111). Téngase en cuenta que para Hierro, el recuerdo, al estar ligado a las emociones, es más doloroso y destructor; y la memoria parecería cumplir la función de conservar algo, especialmente las sensaciones, para desde éstas volver a revivir, a recordar, las emociones. Para esto Hierro, a la «maniera» de Marcel Proust —autor que le es muy familiar—, recupera el pasado a través de la palabra evocadora[48].

---

[47] Este tipo de relación emocional entre imágenes poéticas, ha sido explorada por Carlos Bousoño en varios de sus libros, pero es en *El irracionalismo poético (El símbolo),* Madrid, Gredos, 1977, donde alcanza su formulación más perfecta.

[48] Walter Benjamin en su ensayo «Sobre algunos temas en Baudelaire» intenta definir lo que para Marcel Proust es la «mémoire de intelligence» habla, citando a Theordor Reik, de la memoria como «esencialmente conservadora» y el recuerdo como algo «destructivo» y que se asocia con la conciencia; en *Ensayos escogidos,* visión castellana de H. A. Murena, Buenos Aires, Sur, 1967, pág. 11.

Al establecer la equivalencia de que recordar es igual a imaginar, se pierde también el sentido de una identidad rotunda del sujeto y del ser. Y así, haber sido o poder ser, sería lo mismo que imaginarse siendo o habiendo sido lo que se pudiera ser. De este modo la desposesión de lo vivido como de lo no vivido, de lo recordado como de lo imaginado, no puede sino producir emoción o dolor. Porque «esto es lo malo; los recuerdos», dice el extraño personaje acuático que actúa como máscara en «Alucinación submarina». Personaje que viene a sintetizar la idea de las personas mayores que recueredan el pasado siempre con un rango de superioridad sobre el presente.

América, un espacio poético que ya hace irrupción dentro de la obra de Hierro en *Quinta del 42,* será luego el origen de dos de sus poemas fundamentales escritos con posterioridad: «Réquiem», en *Cuanto sé de mí,* y «Canción del ensimismado en el puente de Brooklyn», en el *Libro.* Pero en «Alucinación de América» es donde de nuevo el poeta nos presenta a un sujeto que, dividido en dos, puede verse y recordar desde una experiencia imaginada, la de ser un inmigrante en América: «Ahora me dejo levantar, hundir. / Soy como un muerto anticipado sobre el agua.» (150).

Hierro cuando describe una circunstancia o un lugar, por muy reales que sean, los hace penetrar en la fantasmagoría general de sus alucinaciones con una naturalidad de mago. Se sospecharía que detrás de estos poemas, de estas máscaras, se esconden no pocos deseos, frustraciones, ilusiones y proyectos truncos. Y, desde luego, una sensación de la «alta traición del tiempo», de estar jugando un papel equivocado en el gran teatro del mundo. O como si a veces le hubieran dado un empujón en su paseo despreocupado y feliz por el tiempo, y se cayera de la Historia bruscamente, o se encontrara en un escenario en el que de repente se ve ante un público que no esperaba. Entonces, lo que hubiera podido ser un «Viaje a Italia» pierde todo sentido de realidad al ausentarse alguien que parecía ser la persona con quien el hablante poético hubiera podido «recobrar lo soñado, lo perdido», pues ese era el único personaje que le podría haber dado «vida, sentido, magia» a Italia y al arte que allí les hubiera sido posible contemplar. Este personaje desparece como un fantasma y, al desaparecer, afantasma también toda la realidad, el posible viaje, el país de su destino.

> Y ahora qué haré, si tú no estás.
> En el espejo te desvaneciste.
> Qué haré, si ya no estás. Cómo encontrarte (160).

Se disipa así la ilusión de aquel viaje. Pues al desaparecer aquella persona convirtió a su vez al personaje poético en fantasma, en muerto vivo, en un cuerpo transparente que, al mirar al espejo, ya no ve nada, y compra un billete

> Para un lugar que yo inventé
> y tal vez ya no existe. Para mirarme en un espejo
> que reflejó mi vida cuando no estaba yo
> y al que me acerco ahora,
> cuando no puede devolver mi imagen (161).

Aquí la interferencia del recuerdo en el presente no es solamente un recuerdo imaginado. Se trata más bien de la imaginación de un recuerdo que tampoco se construye a base de elementos fantásticos, sino de la vida sentida como algo irreal, de la juventud perdida.

De semejante forma, se manipula la idea de un pasaporte no entregado en el momento en que la ilusión juvenil podría haber hecho de un viaje al extranjero, una experiencia exaltante. Cuando se le entrega el documento veinte años después, ya ha perdido toda importancia, y es como un inútil juguete dado a un adulto para compensar el que no tuvo de niño. Pero ahora que se tiene «El pasaporte», título del poema al que me refiero, y se realiza un viaje a París y Londres, lo que se ve en él sólo son

> unas escasas hojas de papel
> entre las que han quedado tantas cosas
> que ya no tienen realidad.
> Tantas cosas que un día pudieron haber sido (155).

Esta es la pregunta más angustiada que desde sus personajes fantasmales, desde sus máscaras poéticas, hace José Hierro al tiempo: ¿Por qué no fue mi pasado, mi tiempo, como yo lo quería? Y para qué me llegan ahora estas dádivas, estos dones tardíos, cuando ni mi cuerpo ni mi espíritu los pueden disfrutar con el entusiasmo que en su día hubieran merecido y recibido de mi parte.

En el *Libro* nos encontramos con una serie de poemas que confieren a la poesía de Hierro un nivel metafísico y universal, que alcanza tanto a los españoles que padecieron los efectos de la destrucción y la violencia de la guerra civil y la no menos destructiva y violenta posguerra en España, como sería aplicable a cualquier ser humano en circunstancias semejantes. Creo que aquí reside, en parte, el secreto de la actualidad de la poesía de Hierro (aunque siempre sea de la emoción personal de donde parten sus poemas), en ser la conciencia, al final alucinada, de todos aquellos que padecieron y fueron psicológicamente las víctimas de la guerra y sus desastres y de la intolerancia posbélica en España[49].

Uno de los modos que utiliza Hierro para entregarle al lector una sensación de alucinación, es el de enfrentarnos a una reflexión sobre la vida y la realidad desde la perspectiva de la muerte. Esto lo hace sin excesivo melodramatismo y a veces hasta con humor. Así, muchos de los personajes poéticos del *Libro* se nos presentan como muertos o como imaginándose ya muertos. En «Canción del ensimismado en el puente de Brooklyn» el personaje «se ve a sí mismo muerto» (104). Y en «Alucinación de América» escribe: «Soy como un muerto anticipado sobre el agua» (150).

Está claro que desde esta perspectiva poética la alucinación adquiere un valor aún más fantasmal. El discurso des-

[49] Biruté Ciplijauskaite, *El poeta y la poesía (Del romanticismo a la poesía social)*, Madrid, Insula, 1966, pág. 462., señala que «el cambio producido por la guerra se refleja en todos los libros de José Hierro». Coincido en gran parte con las lúcidas anotaciones a la poesía de Hierro que se encuentran dispersas en este libro.

de la muerte que significa «Mis hijos me traen flores de plástico» convierte a una anécdota que podía haber sido banal —la de unos hijos llevando unas flores de plástico a la tumba de su padre— en la fuente de una reflexión sobre la vida desde una dimensión insólita: la aludida perspectiva de la muerte. Esto ayuda a entender lo que expresa el padre muerto que, es el sujeto del poema:

> Tarde se aprende lo sencillo.
> Tarde se encuentra la hermosura. No aquella de los ojos
> mortales, la del mundo. No puedo hacer que lo entendáis
> (157).

Este poema, que en sí es de una gran riqueza, tanto en la elaborada construcción que hace Hierro de planos temporales como en las varias perspectivas que expresan esos planos, contiene además un replanteamiento de la visión del mundo que hasta ahora conocíamos de su poesía. Si bien antes había afirmado que aquel que vivía intensamente un instante de su existencia no podría morir ahora nos dice que:

> Tarde se aprende lo sencillo.
> Lo sabréis cuando un río de espanto se desboque
> y arrastre vuestra luz, y la sepulte sin remedio.
> Pensé algún día que quien vive sólo un instante, nunca
> puede morir. Quizás quise decir que sólo aquel que muere
> un instante sabe lo nada que es vivir (157).

Este aserto concuerda con la cita de San Juan de la Cruz que encabeza la sección del *Libro* en la que se encuentra el poema. En esta cita podemos reconocer la secularización de la idea religiosa según la cual la verdadera vida no se da en esta existencia sino en la que se vive más allá de la muerte: «Más ¿cómo perseveras, / oh vida, no viviendo donde vives...?», escribe San Juan. No es de extrañar, pues, que la visión que se da en este libro sea muy diferente a lo que nos tenía acostumbrados Hierro.

El proceso de involución (o de interiorización existencial de signo negativo) que se ha dado en la poesía de José

Hierro llega en *Libro de las alucinaciones* a su más alto nivel. Como se ha podido ver, su visión del mundo se ha trastocado y lo que parecía haber formado parte exclusivamente de la esfera de la vida viene ahora a relacionarse con la muerte. Esta muerte simbólica es, no cabe duda, una muerte de doble signo: la de la voz del poeta que se encuentra al fin de un proceso de iniciación y conocimiento a través de la poesía, y la de la madurez del hombre cuyo cansancio parece haberle llegado muy prematuramente. Poesía y existencia alcanzan así un punto de saturación cuya revelación es que

Tarde se encuentra la hermosura. No aquella de los ojos mortales, la del mundo. No puedo hacer que lo entendáis. Necesario sería que ahora estuvieseis aquí abajo (157).

Algunas conclusiones

Las múltiples perspectivas desde las cuales la poesía de José Hierro se acerca a un conocimiento de la identidad propia y de las circunstancias ajenas, hacen que desde el principio su poesía se oriente hacia una suerte de *cubismo emocional* donde se entregan los elementos básicos, las aristas de una autobiografía sin darnos su forma real, su identidad total. Este cubismo emocional se funda en una técnica semejante respecto a lo temporal y a lo espacial, reuniendo en un solo lienzo poético lugares y tiempos que, conforme va progresando su obra, son cada vez más remotos, distantes y esquemáticos. Por lo tanto, más difícil se le hace al lector identificar una precisa realidad e identificarse con la emoción que nos quiere transmitir el poeta.

En la poesía de Hierro hay muy pocos poemas que se hayan escrito exclusivamente como un testimonio autobiográfico y, sin embargo, todos sus poemas son de orden autobiográfico. Esto que acabo de afirmar no es un juego conceptual, sino que en efecto (ya lo dije antes), su poesía completa intenta reflejar ese *Cuanto sé de mí* que da título a su obra. Pero a la vez, conforme va evolucionando su escritura, se vuelve ésta contra el poeta para convertirse en una pregunta a sí mismo, a su poesía, al mundo, a la vida, a la capacidad que tiene él y tenemos los demás para conocernos y conocer el mundo. Al tambalearse todas las certezas, crea un personaje poético que alucina o ilusiona, que es una forma de postergar la última pregunta, la respuesta última. Un personaje que se sitúa en perspectivas que le son desconocidas al escritor (la de un muerto, la de un emigrado que él nunca ha sido), y unos espacios ajenos y que parecen de imposible acceso (Italia, Dublin, el fondo del mar).

La poesía es la máscara, y ésta se va haciendo cada vez menos reconocible, más desordenada, tanto en la representación de la persona, como en la técnica con que se construye esta máscara poética. Aunque desde el principio de su obra hasta las últimas pieza suyas que conocemos, se da en la poesía de Hierro un obstinado rigor en la estructuración del poema, del libro, y de la obra, como un todo inseparable. Su poesía va así hacia una liberación de las formas y del mundo poético y, por lo tanto, hacia una desfiguración o desrealización de la máscara, tras la cual la identidad del propio autor a la vez se perfila y se esconde.

Libro de las alucinaciones es sin duda el conjunto más acabado de las negaciones, de las desapariciones y de los retornos fantasmales. La ordenación en tres partes, una introducción teórica y un epílogo, demuestran de nuevo la rigurosa voluntad de construcción que rige el quehacer poético de José Hierro. «Teoría y alucinación de Dublin» que sirve de pórtico al *Libro,* ya ha sido discutido ampliamente en este trabajo. La primera sección, que lleva el título de «La noche» es quizás la sección en la que se encuentran los poemas más abstractos y estetizantes, aunque siempre interfieren en ellos elementos de concreción anecdótica (o sea, referencias a lo empírico existencial). La segunda parte, «Atalaya», es donde se intenta con mayor ahínco el artificio de la objetivación de la vida propia por medio de las diferentes máscaras poéticas, muy a menudo relacionadas con personajes culturales. Al final de esta sección, en el poema «El héroe», irrumpe con gran fuerza lo autobiográfico y sirve como obertura a la sección tercera que lleva por título «Un es cansado». Esta penúltima porción del *Libro* es casi exclusivamente autobiográfica y, si se leen como una unidad los poemas que ahora enumeraré, se podría decir que toda la vida del escritor, o del personaje que Hierro quiere construir como autor, está contada: los poemas

«Acelerando» e «Historia para muchachos» dan una visión totalizadora de la vida del poeta. «El pasaporte» añade un fragmento específico de esa existencia. La visión final de esta vida se entrega desde la perspectiva de la muerte, y es así el personaje como un muerto quien habla en «Mis hijos me traen flores de plástico».

En «Con tristeza y esperanza» y «Viaje a Italia» se hallan las últimas reminiscencias del personaje más secreto que encontramos en este *Libro*. Un personaje que se objetiviza en muchos poemas a través de sutiles enmascaramientos, un personaje que recoge en sí lo erótico y lo amoroso que contiene el *Libro;* es el personaje del «demasiado amor fue aquél» (en «Con tristeza y esperanza»), es el personaje que dio sentido a la vida y que al desaparecer (así es presentado en el *Libro)* creó un vacío, ese vacío, que como describía el poeta al principio del *Libro,* «hay quien lo llena de palabras vivas, de poesía...» (93). Es éste un personaje que sospechamos viene a ser la objetivación de varias personas que tuvieron gran importancia en la vida del autor.

La tercera sección es también la de un retorno desencantado hacia un mundo de concretas realidades, hacia la cotidianidad. Esto está expresado en «Carretera» donde el personaje se dice a sí mismo: «Volví, volvía —con qué poca ilusión— / a donde tuve mis raíces, mis recuerdos, mi casa» (145). Pero la vuelta se hace desde la conciencia de un fracaso: «El rescate imposible». El viaje emocional hacia un pasado irrecuperable —que parece ser el contenido de esta sección—, se cierra con unas notas de índole autobiográfica y que indican el último recurso al que acude ese personaje desencantado con la realidad, el retorno a la infancia:

> Pero en vosotros, por lo menos, queda
> vuestra vida, y en mí sólo momentos
> inasibles, recuerdos o proyectos,
> alguna imagen descuajada
> de mis años pasados o futuros.
> Como ésta que me asalta en el instante

en que estoy escribiendo: un hombre esbelto,
con su cadena de oro en el chaleco.
Habla con alguien. Detrás de él, un fondo
de grúas en el puerto. Y hay un niño
que soy yo. Él es mi padre.
«El niño tiene cuatro años»,
acaba de decir (166).

Qué duda cabe que este fragmento final comunica con una gran economía de palabras lo esencial del intento poético de la obra de Hierro. Su poesía se funda en la memoria, las reminiscencias, el recuerdo de la propia existencia, ya sea vivida como una realidad empírica o como una ilusión llena de posibilidades no cumplidas o realizadas tardíamente. Ese pasado vivido o imaginado se ha transformado en alguna «imagen descuajada» que «asalta» al poeta en el instante que escribe. Pero en este poema nos encontramos ya al final de un proceso, que es el de la racionalización y rechazo del mundo de visiones y fantasmagorías que el poeta ha permitido entrar en su escritura, y cuyo producto es el *Libro de las alucinaciones*.

El «epílogo» crepuscular del *Libro* lleva el título de «Cae el sol», obviando así simbólicamente un proceso de acabamiento. Las palabras que abren este poema, «Perdóname. No volverá a ocurrir» (169), son ya las palabras de la sensatez, es un poema de arrepentimiento y conformismo que no convencen al lector; pues aquellas palabras cumplen solamente funciones explicativas de un largo proceso vital en su estado final. Entre este «perdóname» y aquellas palabras del principio de este *Libro* —donde oíamos un —«Te quiero, te quiero»— se ha impuesto el «Mejor / es no pensar, no pensar, / no pensar...» (100) del mismo poema. Esa es, en suma, la trayectoria que recorremos con el personaje poético central del *Libro de las alucinaciones*. Es la verdad de un héroe que quiere olvidar y para ello alucina, porque no puede aceptar la realidad ni el olvido de la realidad. Es la historia de la exaltación y del fracaso de una vida, de la afirmación y de la negación del conocimiento, del elogio de la poesía y de la constatación de su inutilidad, es el enmascaramiento y el descubrimiento de una identidad. Y es, en suma, la revelación dolorosa pero segura de que vida, conocimiento, poesía e identidad, adquieren sólo su sentido último desde una perspectiva cuyo único horizonte es la Muerte.

Nuestra edición

Se habrá notado que en mi «Introducción» los vocablos escritor, autor, poeta, Hierro, personaje poético máscara establecen un diálogo dentro del discurso crítico que parece hacerlos intercambiables, cuando en realidad no lo son. De cualquier modo, en el caso de este ensayo, el conjunto de los conceptos anteriores vienen a resumirse en uno solo: la *identidad*. O más bien, la búsqueda de una imagen que exprese la identidad del hombre que ha escrito esa poesía. Esta identidad es una totalidad inseparable, no sólo de las múltiples facetas o metamorfosis de esa identidad, de ese yo único en búsqueda de su imagen, sino que a su vez hacen con el mundo parte de un *todo* cuya armonía o antagonía explican al poeta.

Si bien la poesía es máscara a través de la cual el poeta mira con sus propios ojos, es difícil acotar a veces los límites de la máscara, el personaje, de la mirada, del mundo y del mundo como figuración o como representación; en suma, del yo, la identidad y el mundo como puras alucinaciones. No tengo más remedio que admitir, pues, que soy ambiguo en mi pensamiento crítico, pero no por imprecisión metodológica sino por convicción metódica.

He limitado en esta «Introducción» mis referencias teóricas porque la teoría no me parece sino un buen ejercicio para prepararse a la lectura y a la escritura crítica. Pero no creo que la socorrida alusión a «todo lo hemos leído» (a menudo sólo ojeado) sea necesaria para legitimar ningún ensayo de orden crítico. Pienso, por lo contrario, que es muy saludable la actitud reciente de los historiadores y de los críticos hacia una revalorización del impresionismo crítico, de la narratividad frente a la farragosidad, de la claridad en lugar del hermetismo hermenéutico. Y todo esto a partir de unas bases de rigor en la investigación y de cierta manipulación imaginativa de la información reunida.

Las referencias críticas que se hacen en esta «Introducción» se limitan en parte a dos nombres: José Olivio Jiménez y Aurora de Albornoz. Esto se debe a que sus trabajos respectivos, con los de Douglass Marcel Rogers, son seminales en el *corpus* crítico que ha interpretado la obra de José Hierro. Esporádicamente menciono a otros críticos cuyas aportaciones también han sido valiosas. Y, por último, en la bibliografía se puede encontrar lo más sustancial de lo escrito sobre José Hierro hasta la fecha.

Algunos poemas del *Libro de las alucinaciones* aparecieron por primera vez en revistas, lo cual se consigna en las notas al pie de página. Luego se publicó una muestra del *Libro* en las *Poesías completas* (1962) y también bajo el rótulo de «Versos de circunstancias», ciertos poemas que posteriormente formarían parte del *Libro*. Finalmente, se publicaría como un libro separado en 1964. Para esta edición hemos seguido la versión más reciente, que es la aparecida en sus poesías completas, *Cuando sé de mí* (1974), y que reproduce casi literalmente la edición del *Libro* de 1964, aunque han sido subsanados algunos errores tipográficos y la versión final ha recibido la aprobación personal del autor.

Desde el punto de vista métrico, las composiciones del *Libro* son por lo general más sueltas que la de su obra anterior. No obstante, se puede señalar el uso del eneasílabo, el octosílabo y el heptasílabo, en los poemas de métrica fija. También se acude en cuatro casos a la rima asonante: «Canción del ensimismado en el puente de Brooklyn». «Al capitán Baroja en otoño», «Cestillo de flores» y «El rescate imposible». Donde se encuentra una métrica más fija es en los poemas que parecen de circunstancias, como es el caso del segundo y el tercero de los antes mencionados. Mas el gran hallazgo de esta obra está en los extensos poemas narrativos y teóricos que poseen una musicalidad opacada y donde se hace uso de ciertos esquemas métricos dentro de un conjunto de versos libres.

Las versiones de los textos del *Libro* que aquí se reproducen han sido confrontadas con todas sus apariciones, sueltas o en libros anteriores. La puntuación como la ortografía fueron consultadas con el poeta y, por lo tanto, se ofrece aquí la versión definitiva autorizada por él.

Por último, quiero agradecer a José Hierro el haberme dado la oportunidad de presentar de nuevo al público este gran libro de la poesía española del siglo XX. Y a la City University of New York por haberme concedido el «PSC-CUNY Research Award», sin el cual este trabajo hubiera sido imposible de realizar.

Bibliografía

OBRA POÉTICA DE JOSÉ HIERRO

Libros originales.

Tierra sin nosotros, Santander, Proel, 1947.
Alegría, Madrid, Rialp, 1947.
Con las piedras, con el viento, Santander, Proel, 1950.
Quinta del 42, Madrid, Editora Nacional, 1953.
Estatuas yacentes, Santander, colección «Clásicos de todos los años», 1955.
Cuanto sé de mí, Madrid, Agora, 1957.
Libro de las alucinaciones, Madrid, Editora Nacional, 1964.

Compilaciones parciales y antologías.

Antología poética, Santander, Hermanos Bedia, 1953; 2.ª ed., Santander, Cantalapiedra, 1960.
Poesía del momento, Madrid, Afrodisio Aguado, 1957. (Contiene sus dos primeros libros con un prólogo del autor).
Poesías escogidas, con un prólogo del autor, Buenos Aires, Losada, 1960.
Antología, selección e introducción de Aurora de Albornoz, 2.ª ed. aumentada, Madrid, Visor, 1985.
José Hierro (Antología), estudio y selección de Aurora de Albornoz, Madrid, Júcar, 1982.

Poesías completas

Poesías completas, 1944-1962, con un prólogo del autor. Madrid, Ediciones Giner, 1962.
Cuanto sé de mí. (Poesías completas), Barcelona, Seix Barral, 1974.

ESTUDIOS SOBRE SU OBRA

Libros

DE TORRE, Emilio, E., *El compromiso en la poesía de José Hierro*, Lansing, Minnesota, 1979.

—, *José Hierro: Poeta de Testimonio*, Madrid, Porrúa Turanzas, 1983.

PEÑA, Pedro J. de la, *Individuo y colectividad: El caso de José Hierro*, Valencia, Universidad de Valencia, 1978.

Artículos

ALARCOS LLORACH, Emilio, «José Hierro: *Cuanto sé de mí*», en *Archivum*, 9, 1959, págs. 440-442.

ALBORNOZ, Aurora de, «Introducción» a *José Hierro*, (Antología), Madrid, Júcar, 1982. En este extenso estudio recoge la crítica todas las ideas expuestas en trabajos anteriores que, por lo tanto, no creo necesario consignar en esta bibliografía.

ALEIXANDRE, Vicente: «Los contrastes de José Hierro», *Papeles de Son Armadans*, núm. XIII. Palma, 1957.

—, *Obras completas*, Madrid, Aguilar, 1968.

ARCE, Manuel, «Préface», en *José Hierro: Poems*. Poésie 52, número 207. Trad. R. Noel-Mayer, París, Seghers, 1952, páginas 9-14.

ARCOS, Gonzalo de, «Cuanto José Hierro sabe de sí», en *Punta Europa*, 3, núm. 29, mayo 1958, págs. 123-24.

ARISTEGUIETA, Jean, *«Libro de las alucinaciones:* José Hierro», en *Universal*, Caracas, 10 de febrero, 1965.

ARROITA-JAUREGUI, Marcelo, «La palabra humilde de José Hierro», en *Cuadernos Hispanoamericanos*, núm. 53, mayo 1954, págs. 152-155.

—, «Tres poetas santanderinos en la joven poesía española», en *Acta Salmanticensia, Filosofía y Letras*, 10, núm. 1, 1956, páginas 337-44.

BARUFALDI, Rogelio, *«Poesías escogidas* de José Hierro», en *Crítica*, Buenos Aires, núm. 33, 1960, pág. 979.

BARY, David, «José Hierro's "Para un esteta"», en *PMLA*, número 5, octubre, 1968, págs. 1347-1352.

BROWN, Bonnie M., «The Poetry of José Hierro», tesis doctoral, University of Kansas, EE.UU., 1976.

CABALLERO BONALD, José Manuel, «Crónica de poesía», *Poesía española,* 2.ª época, núm. 66, enero, 1958, págs. 29-30.

CAMPO, Ángel del, «José Hierro: Premio Nacional de Poesía, 1953», en *Revista,* Barcelona, 30 de diciembre, 1953.

CANO, José Luis, «José Hierro: *Alegría»,* en *Insula,* 2, núm. 22, octubre, 1947, pág. 4.

—, «La poesía de José Hierro», en *Insula,* 8, núm. 86, febrero, 1953, págs. 6-7.

—, «José Hierro», en *Poesía española del siglo XX. De Unamuno a Blas de Otero,* Madrid, Guadarrama, 1960, páginas 483-88.

CASTELLET, José María, *Veinte años de poesía española, 1939-1959,* Barcelona, Seix Barral, 1960.

CAVALLO, Susan Ann, «La poética de José Hierro», tesis doctoral, University of Chicago, 1980.

—, «El tiempo en *Libro de las alucinaciones»* en *Explicación de Textos Literarios,* California State Univ., Sacramento, vol. XI-2, 1982-83, págs. 81-96.

COLLAR, Jorge, «Nuevos poemas de José Hierro», en *Nuestro Tiempo,* núm. 44, febrero, 1959, págs. 230-33.

CRUSET, José, «José Hierro: Pasión y razón hacia la esencial expresividad», en *La Vanguardia Española,* Barcelona, 25 de julio de 1968, s. pág.

DÍAZ, Janet, «José Hierro: *Cuanto sé de mí»,* en *Journal of Spanish Studies: Twentieth Century,* núm. 3, winter, 1976, páginas 222-224.

ESPLANDIÁN, «Entrevista con José Hierro», en *Punta Europa,* 1, 7-8, julio-agosto, 1956, págs. 141-144.

F. F. «José Hierro: "La poesía se escribe ella sola cuando quiere», en *Alerta,* Santander, 6 de julio, 1975.

F. M. E. «José Hierro» en *ABC,* Madrid, 12 de diciembre, 1959, página 81.

FAGUNDO, Ana María, «La poesía de José Hierro», en *Cuadernos Hispanoamericanos,* núms. 263-264, mayo-junio, 1972, páginas 495-500.

FERNÁNDEZ-BRASO, Miguel, «José Hierro: desconfianzas y exigencias», en *De escritor a escritor,* Barcelona, Taber, 1970, páginas 185-90.

FUENTE, Jaime de la, «No he rectificado mucho», en *El Diario Montañés,* Santander, 8 de marzo de 1970.

GARCÍA CANTALAPIEDRA, Aurelio, *«Cuanto sé de mí* resume mi vida a través de mi poesía», en *Alerta,* Santander, 18 de agosto de 1976.

GARCÍA DE LA CONCHA, Víctor, «El realismo existencial de José Hierro», en *La poesía española de posguerra. Teoría e historia de sus movimientos*, Madrid, Prensa Española, 1973, págs. 491-506.

GARCÍA GUTIERREZ, José Ignacio, *«Libro de las alucinaciones*, José Hierro», en *Reseña*, núm. 8, junio de 1965, págs. 203-08.

GARCÍA NIETO, José «José Hierro», en *Mundo Hispánico*, núm. 144, marzo de 1960, pág. 35.

GONZÁLEZ MUELA, Joaquín, «Poesías de José Hierro», en *Revista hispánica moderna*, 28, núm. 1, enero de 1962, págs. 49-50.

GONZÁLEZ, José M., «José Hierro y el lector común», en *Poesía española de posguerra: Celaya, Otero, Hierro, 1950-1960*, Madrid, EDI-6, 1982.

GULLÓN, Ricardo, «Hierro, premio "Adonais 1947"», *Proel*, Santander, 1947.

—, «Confidencias al viento», en *Cuadernos Hispanoamericanos*, núm. 17, 1950, págs. 301-303.

—, «Claridad y penetración de una poesía», en *Cuadernos Hispanoamericanos*, núm. 39, marzo 1953, págs. 386-387.

JIMÉNEZ, José Olivio, «José Hierro: Poesías escogidas», en *Boletín de la Academia Cubana de la Lengua*, 9, núm. 1-4, enero-diciembre de 1960, págs. 122-123.

—, «La poesía de José Hierro», en *Cinco poetas del tiempo*, 2.ª, ed., Madrid, *Insula*, 1972.

—, «José Hierro en su *Libro de las alucinaciones*», en *Diez años de poesía española. 1960-1970*, Madrid, Insula, 1972.

JIMÉNEZ MARTOS, Luis, «Cuanto sé de mí», en *Agora*, núms. 15-16, enero-febrero de 1958, págs. 47-48. «Cuatro poetas del Norte», en *Agora*, núms. 49-50, nov.-dic. de 1960, págs. 54-55.

—, «Terna de poetas: José Hierro, Luis López de Anglada, Jesús Delgado Valhondo», en *Estafeta Literaria*, núm. 251, oct. [II] 1962, págs. 19-20.

—, «Unas claras alucinaciones», en *Estafeta Literaria*, número 643-44, 1 al 15 de septiembre, 1978, págs. 97-98.

KUBOW, Sally, «La voz del silencio en la poesía de José Hierro», en *Revista de Estudios Hispánicos*, Alabama, 7, núm. 1, enero de 1973, págs. 79-90.

LÓPEZ-BARALT, Mercedes, «Vigencia de Antonio Machado: La temporalidad en la poesía de José Hierro», en *Revista de Estudios Hispánicos*, Puerto Rico, núm. 1-4, 1972, páginas 143-67.

LUIS, Leopoldo de, «Las *Poesías completas* de José Hierro», en *Poesía Española*, núm. 86, mayo de 1963, págs. 213-215.

MANRIQUE DE LARA, José Gerardo, «*Poesías completas* de José Hierro», en *Poesía Española*, núm. 125, mayo 1963, págs. 2-4.

—, «La circunstancia histórica de José Hierro», en *Poetas sociales españoles,* Madrid, EPESA, 1974, págs. 117-25.

MANTERO, Manuel, «José Hierro y el tiempo que huye de nuestros brazos», en *Agora,* núm. 67-70, mayo-agosto 1962, páginas 38-42.

—, «Existencialismo en la poesía española contemporánea», en *Universal,* Caracas, 13 de julio, 1965.

MARÍN, Diego, «José Hierro», en *Poesía española. Siglos XV al XX. Antología comentada,* Chapel Hill, Univ. of N. Carolina, 1971, págs. 375-85.

MIRANDA, Julio, «La poesía perdida de José Hierro», en *Universal,* Caracas, 9 febrero, 1969, s. pág.

MIRÓ, Emilio, «José Hierro: *Libro de las alucinaciones*», en *Cuadernos Hispanoamericanos,* núm. 180, 1964, págs. 568-573.

—, «José Hierro y Vicente Gaos: "Poesías completas"», en *Insula,* núm. 336, noviembre de 1974, págs. 6 y 15.

NARVIÓN, Pilar, «José Hierro, Premio José Antonio para poesía», en *Ateneo,* Madrid, núm. 49, ¿1954?, pág. 6.

NÚÑEZ, Antonio, «Encuentro con José Hierro», en *Insula,* número 240, noviembre, 1966, pág. 4.

OTERO, Isaac Angel, «La poética de José Hierro y análisis de "Para un esteta"», en *Cuadernos Hispanoamericanos,* núm. 303, septiembre de 1975, págs. 719-729.

PALOMO, María del Pilar, «José Hierro, entre "testimonio" y "alucinación"» en Angel Valbuena Prat, *Historia de la literatura española,* tomo VI, Época contemporánea, 9.ª, edición ampliada y puesta al día por María del Pilar Palomo, Barcelona, Gustavo Gili, 1983, págs. 578-582.

PARAÍSO DE LEAL, Isabel, «Análisis rítmico de la poesía de José Hierro», en *Teoría del ritmo de la prosa, aplicada a la hispánica moderna,* Barcelona, Planeta, 1976, págs. 59-71.

PASCUAL, Javier María, «La Montaña y los montañeses, primeros en el afecto de Pepe Hierro», en *Alerta,* Santander, 1959.

PEÑA, Pedro J. de la, «La concepción poética de José Hierro», en *Cuadernos Hispanoamericanos,* núm. 319, enero, 1977, páginas 132-137. Este mismo artículo aparece en *Insula,* núm. 367, junio, 1977, pág. 3.

PEÑA LABRA, Pliegos de poesía, núms. 43-44, primavera-verano 1982. Número especial dedicado a José Hierro. Se encuentran aquí artículos de Jesús Aguirre, Pablo Beltrán de Heredia, Manuel Arce, Aurelio G. Cantalapiedra, Carlos Galán, Ricardo Gullón, Leopoldo Rodríguez Alcalde, Jesús Lázaro, Luis González Nieto, Dámaso López García y José M. González Herrán (este último sobre el *Libro de las alucinaciones*).

PEREDA, Rosa María, «*Cuanto sé de mí* y el realismo desentrañado», diario *Informaciones,* Madrid, 26 de diciembre, 1974.

—, «José Hierro, montañés de alma», en *El diario Montañés,* Santander, noviembre, 1974.

PERLADO, José Julio, «José Hierro», en *El Alcázar,* Madrid, 1967.

PORQUERAS MAYO, Alberto, «Hierro, José: *Quinta del 42*», en *Arbor,* 25, núm. 90, junio, 1953, págs. 263-65.

—, «La nueva poesía de José Hierro» en *Revista Hispánica Moderna,* 28, núm. 2-4, abril-octubre, 1962, págs. 333-34.

PRIETO-HERNÁNDEZ, Carlos, «Una vida verso a verso. *Cuanto sé de mí,* Premio de la Crítica» en *El Español,* 1958, págs. 48-51.

QUIÑONES, Fernando, «Claves de José Hierro en su poesía reunida», en *Cuadernos Hispanoamericanos,* núm. 296, febrero, 1975, págs. 440-43.

REXACH, Rosario, «La temporalidad en tres dimensiones poéticas: Unamuno, Guillén y José Hierro», en *Cuadernos Hispanoamericanos* núms. 289-290, julio-agosto, 1974, págs. 86-119.

RODRÍGUEZ ALCALDE, Leopoldo, «Recuerdo de un poeta o memorias de una generación», en *Vida y sentido de la poesía actual,* Madrid, Editora Nacional, 1956, págs. 219-37.

ROGERS, Douglass Marcel, «El tiempo en la poesía de José Hierro», en *Archivum,* Oviedo, vol. XI, núms. 1-2, nov., 1961, págs. 201-230.

—, «A Study of the Poetry of José Hierro as a Representative Fusion of of Major Trends of Contemporary Spanish Poetry», tesis doctoral, University of Wisconsin, EE.UU., 1964.

SALCINES, Luis Alberto, «José Hierro: Entre la poesía y la pintura», en *El Diario Montañés,* Santander, 29 de octubre, 1972.

SANDOVAL, Juan Antonio, «José Hierro de *Proel* a 1977», en *El Diario Montañés,* Santander, 2 de abril, 1977.

SANTOS, Ceferino, «La poesía de José Hierro en su último libro» en *Humanidades,* 11, núm. 22, enero-abril, 1959, págs. 55-62.

SANTOS, Dámaso, «Oscura crónica de luz y música» en *Alerta,* Santander, 7 de octubre, 1959.

SASTRE, Luis, «Amarillo, en Moguer con José Hierro», en *Indice,* núm. 122, febrero, 1959, pág. 8.

SOLLET SANUDO, C., «El poeta no puede dedicarse exclusivamente a la poesía», en *Alerta,* Santander, 8 de julio, 1953.

—, «Mi poesía es una poesía frustrada», en *Alerta,* Santander, 18 de agosto, 1972.

SORDO, Enrique, «La poesía de José Hierro» en *Revista,* Barcelona, núm. 312, julio, 1958, pág. 14.

—, «Alucinación y Realidad», en *Estafeta Literaria,* núm. 532, Madrid, 1975.

TORRES, Aldo, «José Hierro», en *Iberia,* núm. 9, 15 de septiembre, 1960, pág. 9.

UCEDA, Julia, «Presupuestos para una nueva poesía española», en *Insula,* núm. 185, abril, 1962, pág. 6.

—, «Tres tiempos en el poeta José Hierro», en *Insula,* núm. 197, abril 1963, pág. 6.

—, «Juan Ramón Jiménez en relación con los poetas Otero, Hierro e Hidalgo», en *Anales de la Universidad Hispalense,* número 1, 1964, págs. 51-70.

UMBRAL, Francisco, «Poesías completas de José Hierro», en *Punta Europa,* 8, núm. 81, enero, 1963, págs. 120-122.

—, «*Proel* en diez preguntas a José Hierro», en *Poesía Española,* núm. 140-41, agosto-septiembre 1964, págs. 20-21.

VERGES, Pedro, «Las obras incompletas de José Hierro», en *Camp de l'Arpa,* núm. 16, enero, 1975, págs. 26-27.

VEYRAT, Miguel, «Lo único que sabe la gente joven es que huye», en *Nuevo Diario,* Madrid, 1970.

VILLAR, Arturo del, «Lo que sabe José Hierro», en *Alerta,* Santander, 13 de septiembre, 1974.

—, «El vitalismo alucinado de José Hierro» en *Arbor,* Madrid, núm. 349, enero, 1975, págs. 67-80.

—, «El escritor al día: José Hierro», en *La Estafeta Literaria,* núm. 639, 1 de julio, 1978, págs. 7-11.

XIRAU, Ramón, «Gerbasi, Hierro y algo sobre Diego», en *Diálogos,* núm. 64, julio-agosto, 1975, págs. 37-39.

—, «Poesía y poética de José Hierro, o del testimonio y la alucinación», en *Lecturas. Ensayos sobre literatura hispanoamericana y española,* México, UNAM, 1983, págs. 125-141.

Libro de las alucinaciones *

*Según nos ha comunicado el autor, los textos que componen este libro fueron escritos entre los años 1957-1963.

El libro fue publicado en Madrid por la Editora Nacional con el número 15 de la colección de poesía; se acabó de imprimir el 20 de mayo de 1964.

José Hierro, que trabajaba en aquella época en esta editorial, realizó el *collage* que ilustra la solapa del libro.

A MI MUJER

Estas palabras
con la brisa y el oleaje
de nuestro mar
y de nuestra vida

Teoría y alucinación
de Dublin*

En las notas a los poemas se usarán las siguientes abreviaturas para los libros del autor donde aparecieron parcial o totalmente los textos recogidos en *Libro de las alucinaciones:*

Poesías escogidas = PE
Poesías completas (1962) = PC(62)
Libro de las alucinaciones =LA
Cuanto sé de mí (1974) = CSDM(74)

I

TEORÍA

Un instante vacío
de acción puede poblarse solamente
de nostalgia o de vino.
Hay quien lo llena de palabras vivas,
de poesía (acción   5
de espectros, vino con remordimiento).

   Cuando la vida se detiene,
se escribe lo pasado o lo imposible
para que los demás vivan aquello
que ya vivió (o que no vivió) el poeta.   10
Él no puede dar vino,
nostalgia a los demás: sólo palabras.
Si les pudiese dar acción...

   La poesía es como el viento,
o como el fuego, o como el mar.   15
Hace vibrar árboles, ropas,
abrasa espigas, hojas secas,
acuna en su oleaje los objetos
que duermen en la playa.
La poesía es como el viento,   20
o como el fuego, o como el mar:
da apariencia de vida
a lo inmóvil, a lo paralizado.
Y el leño que arde,
las conchas que las olas traen o llevan,   25
el papel que arrebata el viento,
destellan una vida momentánea
entre dos inmovilidades.

   Pero los que están vivos,
los henchidos de acción,   30

los palpitantes de nostalgia o vino,
esos... felices, bienaventurados,
porque no necesitan las palabras,
como el caballo corre, aunque no sople el viento,
y vuela la gaviota, aunque esté seco el mar,   35
y el hombre llora, y canta,
proyecta y edifica, aun sin el fuego.

II

ALUCINACIÓN

Me acuerdo de los árboles de Dublin.

   (Imaginar y recordar
se superponen y confunden;   40
pueblan, entrelazados, un instante
vacío con idéntica emoción.
Imaginar y recordar...)

   Me acuerdo de los árboles de Dublin...
Alguien los vive y los recuerdo yo.   45
De los árboles caen hojas doradas
sobre el asfalto de Madrid.
Crujen bajo mis pies, sobre mis hombros,
acarician mis manos,
quisieran exprimirme el corazón.   50
No sé si lo consiguen...

---

[38] *Dublin:* no debe llevar ningún acento, que es como más se aproxima a la pronunciación inglesa del vocablo; por lo tanto, se corrige aquí la acentuación de LA, en la *u*, y la de CSDM(74), en la *i* del título.

Si el acento se colocara en la última sílaba de Dublin se rompería el endecasílabo.

Cuando el poeta escribió este poema no conocía la capital irlandesa. Hay que pensar, pues, que el nombre de esta ciudad cumple aquí funciones exclusivamente simbólicas.

Imaginar y recordar...
Hay un momento que no es mío,
no sé si en el pasado, en el futuro,
si en lo imposible... Y lo acaricio, lo hago   55
presente, ardiente, con la poesía.

No sé si lo recuerdo o lo imagino.
(Imaginar y recordar me llenan
el instante vacío.)
Me asomo a la ventana.   60
Fuera no es Dublin lo que veo,
sino Madrid. Y, dentro, un hombre
sin nostalgia, sin vino, sin acción,
golpeando la puerta.
                        Es un espectro
que persigue a otro espectro del pasado: 65
el espectro del viento, de la mar,
del fuego —ya sabéis de qué hablo—, espectro
que pueda hacer que cante, hacer que vibre
su corazón, para sentirse vivo.

---

[60] *Me:* en PC(62) hay una errata y se escribe *He* en lugar de *Me.*

La noche*

Noche fabricadora de embelecos,
loca, imaginativa, quimerista,
que muestras al que en ti su bien conquista
los montes llanos y los mares secos.

LOPE DE VEGA

---

*El cuarteto pertenece al soneto de Lope de Vega cuyo título es «A la noche» y apareció en *Rimas humanas*(1602). Los poemas de este libro de Lope son por lo general sonetos amorosos, relacionados con la pasión que tuvo el autor por «Lucinda» (Micaela de Luján).

NOCTURNO*

El álamo bajo el águila,
la pesadumbre...
                    De dónde
la nube, la ola en la rueca,
la estrella sobre la roca,
las cuerdas tintas en rayo...   5

Entre los ángeles de agua
el aire trenza y destrenza
sus pies pálidos... Columnas
siempre relampagueando
dentro del mar...
                    (no tenía   10
sentido).

          Qué se dirían.
Quién sería el hombre. Quiénes
serían los caballeros
que no estaban... Se levantan
resonando la armadura,   15
tajando con sus espadas.
De quién será el brazo frío
que ha tocado. En él, el viento
gira y clama. (Una mujer
desparramaba las cartas   20
sobre el azul del relámpago.)

Tenían los caballeros
cubiertos los hombros de alas
de niebla. Entraba la noche,

---

*Apareció bajo el título de «Alucinación» en *Cuadernos de Agora*,
núms. 15-16, enero-febrero, págs. 38-39.
  [10] *no:* con mayúscula en *Agora* y en PC(62).

pisaba el mar. Quién diría: 25
«Que llueve, señor». (Señor
Amor.) Alguno contaba
la guerra donde perdiera
su corazón.

           Hace más
de mil años que no canta.   30
Pero en este instante grita:
«Te quiero, te quiero».
(Lo sé, aunque no pueda oírlo.)
El cristal multiplicaba
la mesa de humo y de lino   35
donde se besaron.

   ¡Qué juventud a la orilla
de la ceniza, cintura
de escarcha! Los tulipanes
se acodan en el silencio.   40
Y arden las hojas. La perla
se desnuda entre los rizos
del volcán. Trono de sombra,
agua hilandera. Los ojos
vuelven a vivir sus cárceles.   45
Pero no puede (quién no
puede) volar de cansancio.

   Tenía un vestido púrpura
y brazos blancos. Mejor
es no pensar, no pensar,   50
no pensar...

----

25 Al final del verso no aparecen los dos puntos en *Agora* ni en PC(62).
26 «*Que:* con minúscula en *Agora* y en PC(62).
32 «*Te:* con minúscula en PC(62).
37-39 Sin signos de exclamación en *Agora* y en PC(62). En LA se abre
la exclamación pero no se cierra.
46-47 En *Agora* y en PC(62) además de los paréntesis se usan signos
de interrogación.
49-51 En *Agora* se abre un paréntesis delante de *Mejor,* que se cierra
después de *pensar.*

        Eran las doce
de la mañana. Voló
con mucho espanto. Allí habría
ángeles de piedra. Y mucho
espanto.

        Y no volverá más.   55

MUNDO DE PIEDRA

Se asomó a aquellas aguas
de piedra.
Se vio inmovilizado,
hecho piedra. Se vio
rodeado de aquellos   5
que fueron carne suya,
que ya eran piedra yerta.
Fue como si las horas,
ya piedra, aún recordaran
un estremecimiento.   10

    La piedra no sonaba.
Nunca más sonaría.
No podía siquiera
recordar los sonidos,
acariciar, guardar,   15
consolar...

    Se asomó al borde mudo
de aquel mundo de piedra.
Movió sus manos y gritó su espanto.
y aquel sueño de piedra   20
no palpitó. La voz
no resonó en aquel
relámpago de piedra.

Fue imposible acercarse
a la espuma de piedra,   25

a los cuerpos de piedra
helada. Fue imposible
darles calor y amor.

Reflejado en la piedra
rozó con sus pestañas   30
aquellos otros cuerpos.
Con sus pestañas, lo único
vivo entre tanta muerte,
rozó el mundo de piedra.
El prodigio debía   35
realizarse. La vida
estallaría ahora,
libertaría seres,
aguas, nubes, de piedra.

Esperó, como un árbol   40
su primavera, como
un corazón su amor.

Allí sigue esperando.

CANCIÓN DEL ENSIMISMADO
EN EL PUENTE DE BROOKLYN*

Apretó las esquirlas
de sol entre los dedos
como si modelase
la mañana con ellos.
En el puente de Brooklyn.   5

La luz quita a las cosas
su densidad, su peso.
Alas les da: que sean
criaturas del viento.
Luces les da: que moje   10
sus frentes el misterio.
En el puente de Brooklyn.

Una mujer le entrega
un periódico: «Léalo,
es importante. Mire   15

---

* Construido a base de heptasílabos con asonancia *e / o* en los versos
pares dentro de cada estrofa, y la última línea suelta que se repite como
un estribillo.

Cuando escribió esta pieza, el poeta no conocía la ciudad de Nueva
York; más tarde Hierro la visitaría en varias ocasiones.

Según nos ha comunicado el propio poeta, este texto está relacionado
con su lectura de la novela de Constant V. Gheorghiu, *Le Vingt-Cinquie-
me Heure (La hora 25)*. En una entrevista con Luis Sastre en 1959 (con-
signada en la «Bibliografía») declaraba José Hierro: «Mi técnica consiste
en partir de una serie de datos confusos, almacenados día tras día. Apelo
a ello en varios momentos. El conjunto se va aclarando, sedimentando, y
acaba cristalizando en un poema.» Así, la lectura de obras literarias y de
artículos periodísticos (como se verá en nuestras notas) es de donde el
poeta tomará esos «datos confusos» que luego se convertirán en poema.

[1-3] Se reproducen casi sin cambios versos del poema «Fuego de artificio en honor de don Pedro Calderón de la Barca», que fue escrito antes
de LA, aunque recogido por primera vez en libro en CSDM(74).

Lo mismo ocurre en los versos 6-8 y 39-44.

las aguas: llevan muertos».
¿Muertos? Mira las aguas.
Son sólo un curso negro.
En el puente de Brooklyn.

Un curso negro y frío   20
y silencioso, pero
bajo la superficie
laten playas y cielos,
laderas con encinas,
cales y cementerios.   25
«Mire las aguas: llevan
muertos». (Pero otros muertos.)
En el puente de Brooklyn.

Se entreabre el río. Muestra
las entrañas del tiempo.   30
Revive lo vivido,
rescata lo pretérito.
«Mire los muertos. Lea
lo que dice...» (Sus muertos...,
su corazón, debajo   35
del agua, en el silencio...)
No ve: recuerda sólo.
Se ve a sí mismo muerto.
¿Cómo decir que ha sido
quien dio figura al fuego,   40
quien lloró por Aquiles,
el de los pies ligeros;
quien besara en la boca a
Julieta Capuleto?
En el puente de Brooklyn.   45

¿Mendigo de qué mundo?
¿Errante por qué tiempo
marchito? La mujer
se va desvaneciendo.
En el puente de Brooklyn.   50

ALUCINACIÓN EN SALAMANCA *

¿En dónde estás, por dónde
te hallaré, sombra, sombra,
sombra?...

Pisé las piedras,
las modelé con sol
y con tristeza. Supe   5
que había allí un secreto

---

* Apareció en *Cuadernos de Agora,* núms. 33-34, julio-agosto 1959,
págs. 35-38. Antes de ser publicado en LA apareció también en PE y
PC(62).

Este es el único texto del cual he podido consultar el manuscrito original. Es sumamente interesante el análisis de este texto original, pues
se puede ver el proceso creador de Hierro desde los primeros apuntes escritos bajo la intuición poética, hasta el poema ya preparado para su impresión. Por lo tanto, es lícito tomar como paradigmática la descripción
de la composición de este poema.

Las primeras líneas del original que escribió Hierro —que sería la simiente del poema— dicen así:

En dónde estás, por dónde
te he perdido, alma, alma,
alma. Hemos vuelto a Italia.
Si yo te hablara, si
te dijera los días
que he soñado contigo...

Cfr. con el texto donde se ha cambiado *alma* por *sombra.* También, lo
que en el verso 33 es ahora *he vuelto a Italia* en el original decía *Hemos
vuelto a Italia.*

Creo que el origen de este poema es muy otro al que puede sugerir su
título. Es hasta posible que bajo el vocablo *alma* se esconda algún nombre
propio: esto justificaría el *Hemos vuelto a Italia* de la versión original,
convirtiendo así en un diálogo lo que es un monólogo en su versión definitiva.

En general, confrontando el original con el poema, tal y como ha sido
publicado, se puede decir que se ha dado un proceso de despersonalización del texto, es decir, de ocultación de la persona bajo el personaje.

José Olivio Jiménez hace un extenso análisis de este poema en *Diez
años de poesía española* (ver «Bibliografía»).

1-3 Sin signos de interrogación en *Agora,* PE y PC (62).

de paz, un corazón
latiendo para mí.

Y qué serías, sombra,
sombra, sombra; qué nombre,   10
y qué forma, y qué vida
serías, sombra. Y cómo
podías no ser vida,
no tener forma y nombre.

Sombra: bajo las piedras,   15
bajo tañta mudez
—dureza y levedad,
oro y hierba—, qué, quién
me solicita, qué
me dice, de qué modo   20
entenderlo...(no encuentro
las llaves). Sombra, sombra,
sombra.... Cómo entenderlo
y nacerlo...

De pronto,
deslumbradoramente,   25
el agua cristaliza
en diamante... Una súbita
revelación...

Azul:
en el azul estaba,
en la hoguera celeste,   30
en la pulpa del día,
la clave. Ahora recuerdo:
he vuelto a Italia. *Azul,*
azul, azul: era ésa
la palabra (no *sombra,*   35
sombra, sombra). Recuerdo
ya —con qué claridad—

---

[21] *No:* con mayúscula en *Agora,* PE y PC(62).
[27] *diamante:* no se ponen puntos suspensivos después de esta palabra
en *Agora,* PE y PC(62).

lo que he soñado siempre
sin sospecharlo. He vuelto
a Italia, a la aventura   40
de la serenidad,
del equilibrio, de
la belleza, la gracia,
la medida...

        Por estas
plazas que el sol desnuda   45
cada mañana, el alma
ha navegado, limpia
y ardiente. Pero dime,
azul (¿o hablo a la sombra?),
qué dimensión le prestas   50
a esta hora mía; quién
arrebató las alas
a la vida. Y quién fue
que yo no sé. Y quién fui
el que ha vivido instantes   55
que yo recuerdo ahora.
Qué, alma mía, en qué cuerpo,
que no era mío, anduvo
por aquí, devanando
amor, entre oleadas   60
de piedra, entre oleadas
encendidas (las olas
rompían y embestían
contra las torres peñas)...

        Entre oleadas.... Olas....   65
Gris.... Olas.... Sombra... He vuelto
a olvidar la palabra

---

[53] *fue:* se escribe *fui* en *Agora,* PE y PC(62).

[54] *fui:* se escribe *fue* en *Agora,* PE y PC(62).
Y: se añade en LA y CSDM(74).

[57] *Qué, alma:* no hay coma en *Agora,* PE y PC(62).

[64] *peñas: cantiles* en *Agora* y en PE.

reveladora. Playas....
Olas... Sombra... Hubo algo
que era armonía, un sitio   70
donde estoy... (sombra, sombra,
sombra), donde no estoy.
No: la palabra no era
sombra. El fulgor del cielo,
la piedra rosa, han vuelto   75
a su mudez. Están
ante mí. Los contemplo,
y, sin embargo, ya
no están. El equilibrio,
la armonía, la gracia   80
no están. Ay, sombra, sombra
(y tanta claridad).

      Quién disipó el lugar
(o el tiempo) que me daba
su sangre, el que escondía   85
el lugar (o era el tiempo)
no vivido. Y por qué
recuerdo lo que ha sido
vivido por mi cuerpo
y mi alma. Qué hace   90
aquí, por mi memoria,

---

[71] *(sombra:* con mayúscula en todas las versiones anteriores a
CSDM(74), incluyendo la de LA.

[72] *donde no estoy:* precedido por puntos suspensivos en todas las versiones anteriores a CSDM(74), incluyendo la de LA.

[78] Sin comas en PE.

[80] Después de *gracia* había una coma en *Agora* y PE.

[81] *Ay:* no se pone en *Agora* ni en PE, pero sí la encontramos en el
primer original consultado.

[86] *lugar: tiempo* en PE.
tiempo: lugar en PE.
era: no aparecía en PE.

[90] *Qué hace:* en plural, *Qué hacen,* en PE. En *Agora* y en PE después
de *alma* hay unos puntos suspensivos y *Qué hace* pasa a la línea siguiente
manteniendo el verso pero dejando un espacio entre *alma* y *Qué hace.*

este avión roto, un viejo
Junker, bajo la luna
de diciembre. La niebla,
la escarcha, aquel camino   95
hasta el silencio, aquella
mar que estaba anunciando
este mismo momento
que no es tampoco mío.

Quién sabe qué decían   100
las olas de esta piedra.
Quién sabe lo que hubiera
—antes— dicho esta piedra
si yo hubiese acertado
la palabra precisa   105
que pudo descuajarla
del futuro. Cuál era
—ayer— esa palabra
nunca dicha. Cuál es
esa palabra de hoy,   110
que ha sido pronunciada,
que ha ardido al pronunciarla,
y que ha sido perdida
definitivamente.

ALUCINACIÓN SUBMARINA

Tal vez os cueste comprenderlo. Yo mismo,
en este mármol verde de oleaje glacial,
no lo comprendo bien del todo.

92-94 *un viejo / Junker, bajo la luna / de diciembre:* entre paréntesis y
una coma después del paréntesis en *Agora* y PE.

101 En PE hay una errata y después de este verso aparece la palabra
definitivamente.

102 *hubiera: habría* en PE. La forma del subjuntivo es la que aparece
en el original consultado.

110 La coma se añade en LA.

Quizá nadie jamás reciba este mensaje.
O, cuando lo reciba, no sepa interpretarlo.   5
Porque todo, allá arriba, habrá variado entonces
probablemente. (Aquí seguirá todo igual.)

    Si entendieseis por qué viví...
Si sospechaseis cómo quise ser descifrado,
contagiar, vaciarme, a través de unas pálidas palabras   10
que daba vida el son más que el sentido...
Y cuando imaginaba que moriría, que enmudecería,
yo trataba de herir papeles con palabras,
poner allí palabras muertas, sin son y sin calor.
Era lo mismo que arrojar al mar una botella.   15
Quién sabe si el mensaje se perdería en alta mar,
se estrellaría contra los peñascos,
llegaría a una costa lejana, donde se hablaban otras
            lenguas...

    Aquello era en la tierra. Aquí, en el mar,
no penséis que las cosas son distintas de aquéllas.   20
No lo creáis: bien lo sabían ellos, los japoneses.
Por eso nos hicieron esclavos hace mucho.
Los relativamente libres, vosotros, los de arriba,
sabéis cómo cayeron los hombres de las islas
sobre nosotros. Cuando el mundo fue estrecho
                            para tantos]   25
y fueron estrujadas las ubres de la tierra.

    La cosa fue sencilla. Todo lo puede el hombre
con teorías, experiencias, instrumentos y números.
Sustituyeron los pulmones por branquias, y la sangre
por caudales helados, y la piel por escamas...   30
(No más difícil que pensar la rueda,
que hacer saltar a voluntad la chispa,
que apresar vida, muerte y amor en cuatro letras
ordenadas sobre un papel...
dar a una llave y que se acerque la música remota,   35
o tantas cosas admirables
que se miden en años luz....)

Alguien tenía que sacrificarse.
Después de todo, nos dejaron la vida (aunque distinta).
El mes en que las algas se aquietan en el fondo,   40
tras las resacas del otoño, después de la cosecha
de algas, vuestro alimento, celebramos la fiesta
hermosa de la libertad...

La esclavitud es Sísifo. Nosotros somos útiles.
Somos granero de la Humanidad.   45
Alimentamos a los seres, espantamos su hambre.
(Sonríen amarillos cuando visitan nuestras plantaciones.)
Somos felices, aunque todavía
quedamos muchos viejos (la vida es larga aquí),
y aún recordamos, y aún sabemos   50
cuándo es de noche arriba...

                              (Pocos conocen el significado
de esa luz tenue —luna, decíamos— que se abre
en el silencio negro, prodigiosa.
Y nos besamos cuando nos ilumina...)

Esto es lo malo; los recuerdos.   55
Los que nacimos allá arriba, recordamos.
Algunos aún soñamos y revivimos mitos
y fábulas. Las viejas damas, cuando llega la noche,
suben ligeras a la superficie
a hechizar marineros, a destrenzar para vosotros   60
canciones y prodigios, mientras los jóvenes sonríen.

Aún recordamos; es lo malo. Este mar, por ejemplo,
pero visto desde la playa.

---

[44] *Sísifo:* personaje de la mitología griega, condenado en el Tártaro a
subir por una pendiente un peñasco, para dejarlo rodar cuesta abajo al llegar a la cima y comenzar de nuevo el suplicio.

Este mito es usado aquí en el sentido existencial de la inútil y absurda
repetición que es la vida. Este significado último del mito lo formuló Al-
bert Camus en su libro *El mito de Sísifo.* José Olivio Jiménez, basándose
en el pensamiento de Camus, confiere un papel central a esta idea existencial y la aplica a la visión del mundo de Hierro. Véase José Olivio Jiménez, *Cinco poetas del tiempo* (consignado en la «Bibliografía»).

Y los sonidos..., los rumores..., el prodigio de nubes,
de matices, de flores..., los aromas aquellos...   65
Y, sobre todo, tanta vida nuestra
que les dio belleza y sentido...

A veces nos decimos si no estaremos engañados.
«Ningún tiempo pasado fue mejor...» Es posible.
Nos lo dicen los jóvenes cuando les relatamos   70
historias que no entienden...
Todo tiempo pasado era la juventud, y eso sí era mejor.
La juventud es un diamante en medio del camino.
Hasta llegar a ella, nada miramos sino a ella.
cuando la rebasamos —porque el fin nos reclama   75
y es imposible detenerse—,
es ya pasado. Y nada vemos. Y sólo recordamos
el instante, el relámpago, en que camino y juventud coin-
            cidieron.

Tal vez ahora nos deslumbre
no el sol, sino el diamante bajo el sol,   80
tal vez...

Un día dije a los jóvenes: «Vamos
a rescatar por un momento el paraíso,
a revivir la vida que no se ahogó en el mar».
Volví con la emoción y la inquietud de los retornos,
como una ruina que visita a un ser viviente.   85
«He aquí mi antiguo reino», dije.

...Cómo olvidé que el sol nos abrasa los ojos,
hechos a la luz tenue de las profundidades.
Y nos ahogábamos —ya somos criaturas marinas.
Cómo olvidé, cómo pude olvidar   90
el trueno de la voz, el bramido, el estrépito
del viento entre las copas de los árboles...

---

[69] Este verso es una inversión semántica de los versos 11-12 de las «Co-
plas por la muerte de su padre» de Jorge Manrique. Allí se lee: «Cualquier tiempo pasado / fue mejor.»

Cómo olvidé que nuestro paso, nuestros movimientos
eran mecánicos y torpes... (Aquí en el mar es todo
deslizamiento, suavidad, armonía...)   95
Sufrí cuando los vi reír entre jadeos,
entre toses y ahogos a los jóvenes...
Cómo pude quemar mi recuerdo, empañar
la luz de mi diamante... Cómo no supe a tiempo
que al volver a la superficie   100
lo destruía todo y me quedaba
sin mar, tierra, ni cielo, pobre superviviente
de la nostalgia y de la decepción...

RENUNCIACIÓN*

Lo quiso todo o nada.
Por eso dejó todo:
para tenerlo todo.

Qué sentirá. Qué cifra
ordenará su mundo,   5
revelará sus seres.

Qué esfinge arranca ahora
al arpa sideral
arquitecturas músicas.

Y cómo ramas, nubes   10
granos de sol, enjambres
de lluvia, romperán

contra su trono de oro,
salpicarán su báculo
del alba de las nadas...   15

---

*Apareció en PC(62).

EL MAR EN LA LLANURA*

¿Estarás siempre de mi parte,
adormecida entre mis brazos,
primaveral y musical,
afirmándote y afirmándonos?

¿A centenares de kilómetros,   5
a millares de encinas y álamos,
a millones de horas, de ríos,
de cumbres de piedra, de páramos?

Esta mañana te ha teñido
el recuerdo de vinos pálidos.   10
En las ramas de acacia, otoño
puso a dorar su seco manto.

Hojas crujían con la música
con que embistes acantilados.
La llanura fingió latidos,   15
temblores, fuegos oceánicos.

¿Tu compañía? ¿Tu nostalgia?
¿Tu esperanza?... ¿Siempre a mi lado
estarás, mar, primaveral,
afirmándote y afirmándonos?   20

Mar mía, ¿pase lo que pase,
aun después de lo que ha pasado?

* Apareció en PC(62).
²¹ En PC(62) el verso se inicia con un signo de interrogación.

MARINA IMPASIBLE*

Por primera vez, o por última,
soy libre...

        Arbustos con espuelas
de marfil. Rocas oxidadas.
El otoño pliega sus tonos
frente al crujido de las olas.   5
Por primera vez, o por última.

    Las gaviotas tocan sus oboes
de tormenta. Unos dedos verdes
hunden la luna en luz marina,
la tienden al pie del silencio.   10
Se ha desnudado una mujer
y muestra sus luces mellizas;
al huir, dispersa su paso
luminosa arena de estrellas.
Por primera vez, o por última.   15

    Tijeras de oro en el poniente.
Se enciende un violín ruiseñor
en el esqueleto del mar.
Garras de nubes estrangulan
el azul, y lo hacen gemir.   20

    Ojos fijos en su tesoro,
presente inmóvil —sin recuerdos,
sin propósitos—, soy ahora.
Todo está sometido a un orden
que yo no entiendo. Pero embarco   25

---

* Apareció en PC(62).
[13] *al huir:* sin coma después de esta palabra en PC(62).

en la nave, y el marinero
me dirá su cantar, más tarde,
desde el éxtasis...

                    Por primera,
o por única vez, soy libre.

Atalaya

Desde las atalayas de sus corazones ahúman,
entre sueños razonan y por señas se entien-
den...

QUEVEDO*

*La cita completa de Quevedo es la siguiente: «Los que bien se quie-
ren, desde las atalayas de sus corazones ahúman, entre sueños razonan y
por señas se entienden.» Esta suerte de aforismo aparece en *Migajas de
sentencias,* obra de dudosa atribución a Francisco de Quevedo y que per-
maneció inédita hasta 1932, cuando fue publicada por Luis Astrana Marín
en su edición de las *Obras completas,* 2 vols., de Quevedo (Madrid, Aguilar, 1932). En esta edición aparece bajo la sentencia núm. 1113, columna
A. Américo Castro puso en duda la autoría de Quevedo para algunos de
los textos aparecidos en esta edición de Astrana Marín. Y aunque sin es-
pecificar a qué textos se refería, escribió que el crítico era «excesivamente
generoso en atribuciones a Quevedo». Américo Castro, «Algunas publi-
caciones sobre Quevedo» en *Revista de Filología Española,* vol. XXI, 1934,
págs. 176-178.
Estoy muy agradecido al profesor Antonio Carreira por haber sido el
que finalmente encontró el origen de esta cita que hace Hierro de Quevedo. Y también a mi amiga María Soledad Carrasco Urgoiti por haberme puesto en contacto con el profesor Carreira.

RETRATO EN UN CONCIERTO*

(HOMENAJE A J. S. BACH)

I

La sala tiene una iluminación de clínica.
Los estudiantes se han sentado silenciosos.
Juan Sebastián deja sobre la mesa de trabajo
su mundo de evocaciones, de fantasía y aventura.
Cuelga de una ventana con nubes   5
su casaca, la cáscara de su mundo cotidiano,
y matemáticamente comienza su ejercicio musical.

II

Volvamos a la realidad.
Aquí está Solveig, solitaria
en el laberinto de música.   10
Las nieves han dado a sus ojos
claridad y serenidad.
Resbala la música sobre
la impasibilidad de su cuerpo.
Cualquiera podría pensar   15
en una piedra, misteriosa
por dentro, bruñida por fuera,
pura, evidente y enigmática.

---

* Apareció en *Cuadernos Hispanoamericanos,* núm. 157, Madrid, enero, 1963.
[9] *Solveing:* heroína de la obra teatral de Ibsen, *Peer Gynt,* pieza a la cual Edvard Hagerup Grieg puso música posteriormente.
Según me ha declarado el propio poeta, este nombre se usa aquí como típico de un nombre propio nórdico y no con sus connotaciones culturalistas.

Juan Sebastián divide exactamente el silencio.
Alza columnas firmes desde los tonos.   20
El rigor no consigue impedir una nube,
una yedra envolvente que desordena los números.
Los dedos sobre el marfil dispersan el caos.
Pero el marfil guarda aún rumor de selva.
Vibraciones, armónicos, aire esclavizado,   25
física y éxtasis sometidos a la matemática:
con eso el hombre paraliza el tiempo.

IV

Volvamos a la realidad.

La realidad ha sido anoche
una habitación en penumbra,   30
con música, cristal y humo.
Todas las noches ha ocurrido
los mismo: la estatua se ha puesto
a vibrar. Bajo el suéter ha ido
descubriendo carne encendida,   35
pechos que tiemblan, manos ávidas,
dientes que muerden y que hieren.
Bajo la falda, vientre, muslos,
cintura, sexo: desnudez
impura, sed de aniquilarse,   40
de apoderarse, de morir
salvajemente. Y un sabor
a vino terrible de muerte,
a animal que destruye el tiempo
uniéndose al tropel oscuro.   45

V

Juan Sebastián ensancha con sus dedos el instante
hasta casi invadir las fronteras de la eternidad.

(Ahora está encadenada al sonido.
Si la Solveig desnuda por las habitaciones de la noche,
si aquella desconocida se acercase a la que escucha   50
amparada por la campana neumática de la música,
la desvanecería con un gesto de indeferencia y hastío,
como a un viajero de un planeta remoto
cuyo lenguaje fuese incomprensible para los humanos.
Dos seres irreconciliables sucediéndose y borrándose   55
sin que el uno deje en el otro su vestigio;
sin que el uno se refugie en la música para purificarse
de la ceniza de remordimientos que el otro le dejara.)

Juan Sebastián pliega el tiempo entre pétalos
con la serenidad de quien pliega olas, nubes,   60
pesadumbres, estrellas, ramajes y misterios.
Recoge del azul su casaca cotidiana,
y regresa silencioso y confortado a su realidad.

VI

Volvamos a la realidad.

¿En dónde está la tuya, Solveig?   65
Te destruyes al construirte
(una llama que extingue el agua,
un agua transformada en nube
por la llama a la que apagó),
¿en dónde está tu realidad,   70
suma de instantes armoniosos,
alimento para el recuerdo?
Cuando empiezas a dibujarte

en humo, se desata el viento
y te barre de la memoria.   75
Tus olas te han arrebatado:
has sido el náufrago y el mar,
has sido víctima y verdugo.

   ¿Cómo pensarte? Con los ojos
no lo consigo: ellos olvidan   80
apariencias, formas inmóviles
y recuerdan las formas vivas.
Pero bocas o manos son
diferentes, según aquello
que callen o besen, que hieran   85
o acaricien. ¿Cómo pensarte?

   Ahora que escribo, pretendiendo
dibujarte, sin otro afán
que comprender y comprenderte,
me acuerdo de tus ojos. Ellos   90
poseían tal vez la clave.
Los dos seres que eras, miraban
con los mismos ojos, distantes
y fríos. No pertenecían
a tus dos vidas, sino a otra   95
que era tal vez la verdadera.

VII

MADRIGAL

¿Dónde estaréis, cómo borraros, ojos
míos, silencios de color de oliva?
¿Tras de la mar, latiendo en algas?

---

89 *comprenderte:* en *Cuadernos* se lee *comprenderme.* La versión final
objetiva el conjunto de la estrofa, tendencia general que se da en las co-
rrecciones que realiza el poeta.
96-97 En *Cuadernos,* la sección VII del poema no tiene subtítulo.

¿En la pálida lejanía?
¿Abriendo en las murallas del otoño
puertas de oro con llaves de ceniza?
¿Al sur, donde libera el ruiseñor
su chorro de hojas encendidas?

INAUGURACIÓN DE MONUMENTO*

A Vicente Aleixandre

Los hombres graves desaparecieron
después de haber clavado al mediodía
su bastón de solemnidad.

Quedó sola la estatua. Y quedó el niño
a su sombra, riendo. Era evidente   5
como la hoja verde; inexplicable
también como la hoja verde.

¿Qué hacía el niño aquel? ¿Quién era? ¿Cómo
vino hasta allí? Y ¿por qué? Súbitamente
el niño desapareció.   10
Y no como los hombres de antes, esos
del canto llano del discurso.
No: como un ángel o una melodía;
así fue: como el viento o el amor.

La estatua aquella señalaba   15
hacia el lugar justo del hombre,
el que rompía sus cadenas, lágrima
a lágrima. Y su exvoto era la propia
estatua, cincelada verso a verso,

---

* Apareció en *Cuadernos de Agora,* núms. 29-30, marzo-abril 1959, página 27. Y posteriormente en PC(62). Por error en el «Índice» de PC(62) se escribe «Inauguración *del* monumento».

imán para el recuerdo, testimonio   20
liberador, inmortalizador.
Allí, donde indicaba el brazo, allí
estaría el poeta, el hombre, oculto,
acechando su gloria, imaginando
lo por venir. Detrás de los arriates   25
estaría su vida clara,

   Sin peso. Entré...
             Allí estaba el niño. Y comprendí.

LOS ANDALUCES*

Decían: «Ojú, qué frío»;
no «Qué espantoso, tremendo,
injusto, inhumano frío».
Resignadamente: «Ojú,
qué frío...» Los andaluces...   5

   En dónde habrían dejado
sus jacas; en dónde habrían
dejado su sol, su vino,
sus olivos, sus salinas.
En dónde habrían dejado   10
su odio... Parecían hechos
de indiferencia, pobreza,
latigazo... «Ojú, qué frío».
Tiritaban bajo ropas
delgadas, telas tejidas   15

---

²⁶ *estaría:* en *Agora* y en PC(62) hay dos puntos después de esta palabra.

* Apareció en PC(62). Este poema fue recogido en la *Antología de la poesía social,* edición de Leopoldo de Luis (Madrid, Alfaguara, 1965), reproduciendo allí los errores de PC(62), por no haber consultado LA como se debía haber hecho.

² *«Qué:* con minúscula en PC(62).

⁷ En PC(62) hay una coma y no un punto y coma.

para cantar y morir
siempre al sol. Y las llevaban
para callar y vivir
al frío de Ocaña y Burgos,
al viento helado del mar   20
del Dueso... Los andaluces...

    Éstos que están esperando,
desde Huelva hasta Jaén,
desde Jaén a Almería,
junto a las plazas de cal   25
y noche, deben de ser
hijos de aquéllos. Esperan
que alguno venga a encerrarlos
entre rejas. Como aquéllos,
no preguntarán por qué.   30
No se quejarán de nada.
Ni uno se rebelará.
«Las cosas son como son,
como siempre han sido, como
han de ser mañana... Ojú,   35
qué frío...» Los andaluces...

    Apenas dejaban sombra,
sonido, cuando pasaban.
Se borraban sus cabezas.
Tan sólo un inmenso frío   40
daba fe de ellos. Y aquella
dejadez que rodeaba
su fragilidad. Más solos
que ninguno. Más hambrientos
que ninguno... (Deseaba   45
que odiasen, porque los vivos
odian. Los vivos perdonan.
El hombre es fuego y es lluvia.

[19-21] *Ocaña, Burgos y Dueso:* en estos tres puntos geográficos de España había (y aún hoy los hay) penales famosos. Durante el primer periodo de posguerra se encerraron allí también presos políticos.

Lo hace el odio y el perdón.)
Indiferentes: «Ojú,   50
qué frío...» Los andaluces...

Un grano de trigo. Una
oliva verde. (Guardad
el aliento de la tierra,
el parpadeo del sol   55
para ayer, para mañana,
para rescataros...) Quiero
que despierten del pasado
de frío, de los cerrojos
del futuro. Todo está   60
tan confuso. Yo no sé
si los veo, los recuerdo,
los anticipo...

Hace pocos
kilómetros tuve aquí,
en mi mano, la madeja   65
de los días. La emoción
de los días. Como un padre
que olvidó hace tiempo el rostro
de los hijos muertos. Y ahora
los recuerda. Y ahora vuelve   70
a olvidarlos, unos pocos
kilómetros más allá.
Olvidados para siempre.

Cuántos años hace de esto.
O cuántos faltan para esto   75
que hace un momento viví
por los caminos... —ojú,
qué frío— de Andalucía.

60-61 *Todo está / tan confuso:* entre signos de exclamación en PC(62).
72 *kilómetros:* hay una coma después de este vocablo en PC(62).
77-78 Es notable aquí la eliminación de las comillas al usar la locución andaluza. De este modo parece confundirse al final la voz poética con el tema tratado, dando así un sentido mágico y de sorpresa a un poema aparentemente realista.

YEPES COCKTAIL*

Juan de la Cruz, dime si merecía
la pena descolgarte, por la noche,
de tu prisión al Tajo, ser herido
por las palabras y las disciplinas,
soportar corazones, bocas, ojos   5
rigurosos, beber la soledad...

— ¿Otro whisky?

                            La pelirroja
—caderas anchas, ojos verdes—
ofrece ginebra a un amigo.
Hombros y pechos le palpitan   10
en el reír. *¡Oh llama de amor viva,*
que dulcemente hieres!...

        Junto al embajador de China,
detrás de la cantante sueca,
el agregado militar   15
de Estados Unidos de América,

---

* Apareció en *Cuadernos de Agora,* núms. 25-26, noviembre-diciembre 1958, y en PC(62). En ambos casos se señala que es sólo un «fragmento». En LA y CSDM(74) desaparece esta indicación sin que se añada nada nuevo al poema. Según me ha comunicado el autor, pensaba ampliar este poema pero, al no realizar dicho proyecto, eliminó la palabra «fragmento» y lo dio por concluido tal y como lo tenemos hoy.

Lo que aparece subrayado en el texto alude directa o indirectamente a la vida y la obra de San Juan de la Cruz. Yepes es el apellido seglar del santo.

11-12 Sin signos de exclamación en *Agora* y en PC(62).

La cita exacta de San Juan de la Cruz, del poema «Llama de amor viva», dice lo que sigue: «¡Oh llama de amor viva, / que tiernamente hieres...». Por lo tanto se ha reemplazado *tiernamente* por *dulcemente;* en mi opinión, por fines paródicos.

Juan de la Cruz bebe un licor
de luz de miel...

        (Dime si merecía
la pena, Juan de Yepes, vadear
noches, llagas, olvidos, hielos, hierros,   20
adentrar en la nada el cuerpo, hacer
que de él nacieran las palabras vivas,
en silencio y tristeza, Juan de Yepes...
Amor, llama, palabras: poesía,
tiempo abolido... Di si merecía   25
la pena para esto...)

        El aplaudido
autor con el puro del éxito,
la amiguita del productor
velando su pudor de nylon,
las mejillas que se aproximan   30
femeninamente: «Mi *rouge*
mancha, preciosa...» (Mancha amor
cuando en las bocas no hay amor.)

    (Juan de la Cruz, dime si merecía
la pena padecer con fuego y sombra,   35
beber los zumos de la pesadumbre,
batir la carne contra el yunque, Juan
de Yepes, para esto... Vagabundo
por el amor, y huérfano de amor...)

ESTATUA MUTILADA*

Mujer de un funcionario romano,
recorriste la tierra
—sombra suya— de Gades a Palmira.
Soles distintos te doraron,

---

* El trío amoroso —funcionario / mujer /legionario—, evocado a través de esta estatua, adquiere un rango de emoción vivencial gracias a la intervención de la voz del poeta en la estrofa final.

maduraron tu piel, fueron dejando   5
seco tu corazón.

            Cómo sería tu cabeza, tu mano,
lo que fue carne tibia, vestidura del alma
y luego piedra silenciosa...
Ahora la mano ya no está en la piedra.
Y la cabeza fue limada, desfigurada y corroída   10
por el agua que la albergó durante siglos.
¿Cómo serías? Imagino que el escultor,
sumiso a los clientes, las rutinas,
los tópicos vigentes en la Roma de los Césares,
copió de ti la apariencia banal.   15
¿Serías verdaderamente
—no quedan rasgos que dejen comprobarlo—
matrona dura que mandaba sus hijos a la guerra,
que prefería muertos valerosos,
soledad y desolación,   20
antes que amor, calor y compañía de cobardes?
¿O tu rostro impasible
revelaría otra verdad?

    Ahora no tienes ojos,
ni siquiera de piedra,   25
para que en ellos se refleje y cante el mar,
el mismo que rompía en tus ojos humanos
y te vestía de llamas azules.
(A la orilla del mar ocurriría aquel amor.)

    Un legionario, un soñador, un triste,   30
a la orilla del mar... Y le decías:
«Ráptame, llévame contigo, da a mi vida
sentido y esperanza, olvido y horizonte,
dale vida a mi vida». (Él fingiría indiferencia
cuando subías con ofrendas al templo.   35

Y te abrazaba, enloquecía, te daba vida y muerte
cuando estabas con él a solas.)
El día que marchaste, dócil al lado de tu esposo,
a otro sol y otra tierra del Imperio,
lloró desconsolado el que era fuerza tuya.   40
Te hizo un collar de lágrimas
el que bebió tus lágrimas.
(Esto debió de suceder en la Imperial Tarraco.)

    Ahora no tienes ojos,
ni siquiera de piedra.   45
El mar y el tiempo los borraron.
(Dentro del mar se pudriría aquel amor.)
Sólo te queda la impasibilidad con que te imaginaron
para edificación y pasmo de los hombres.

    Jamás podrá la piedra   50
albergar un soplo de vida.
Y entonces, dónde ha ido tanta vida,
dónde está tanta vida que la piedra no puede contener,
no puede imaginar y transmitir.
Tanta vida que fue la salvadora   55
del olvido y la nada, ¿habrá muerto contigo?
Cómo puede morir lo que fue vida.
Quién puede asesinar la vida.
Quién puede congelar en estatua una vida.

    Qué hay en común entre este bulto   60
—pliegues rígidos y elegantes,
rostro esfumado, manos mutiladas—
y aquella estatua de ola tibia,
aquel pequeño sol poniente,
aquel viento de carne pálida,   65
aquella arena palpitante,
aquel prodigio de rumores:
lo que tú fuiste un día,
lo que eres para siempre en un punto del tiempo y del
          espacio,
en el que escarbo inútilmente   70
con el afán de un perro hambriento.

AL CAPITÁN BAROJA EN OTOÑO*

El oleaje de hojas secas cruje
sus espumas contra tu barco.
Baroja, frente gris, capitán, ¿marchas
a donde esperan tus esclavos?

    Nubes te empujan. ¿Oyes cómo gritan,   5
prisioneros en su peñasco?
Nacieron para el vuelo libre. Tú
los despeñaste de sus astros.

    Les arrancaste la esperanza. Y ellos
vivieron desesperanzados.   10
Dios suyo, los creaste y le negaste
a su garganta viva el canto.

    Quizá no fueron creaciones tuyas,
sueños de ti, barro en tus manos,
sino sombras errantes que pasaban   15
desvaneciéndose a su paso.

    Entonces, capitán Baroja, frente
de nubes, oso solitario,
¿por qué no los seguiste al puerto, donde
hallan las almas su descanso?   20

* * *

---

*Apareció en PC(62) en un apartado cuyo título es «Versos de circuns-
tancias». La composición está realizada a base de endecasílabos y eneasílabos con rima asonante *a / o* en los versos pares de los cuartetos.

La primera sección del poema alude a las novelas de tema marítimo
de Pío Baroja; la segunda está relacionada directamente con un cuento de
Baroja «Mari Belcha», que apareció en su libro *Vidas sombrías*.

¹ *secas:* en PC(62) y en LA hay una coma después de esta palabra.

El oleaje de hojas secas cruje
sus espumas contra tu barco.
Velas nubes te empujan, capitán,
por tu océano castellano.

Llamas de sombra se levantan. Quieren   25
dar fe de vida. Condenados
fueron tus hijos al nacerlos. Gimen,
se rebelan contra su amo.

Con una gota de piedad, manada
de ellos, serías perdonado   30
por ellos. Una lágrima tan sólo
de tus hijos que no soñaron.

Imploras a sus ojos. Mari-Beltza,
hija menor, ¿qué estás pensando,
a la puerta del negro caserío,   35
mientras miras el cielo pálido?

EL NIÑO DE LA JAULA VACÍA*

Con tus manos hiciste libres
—con tus propias manos— las aves.
Hijo: qué sueñas, sombra, símbolo
del hombre que rompe sus cárceles,

---

[21] *secas:* en PC(62) hay una coma después de esta palabra.

[33-36] Esta estrofa reproduce casi literalmente unas líneas del cuento de
Baroja antes mencionado; escribe el novelista: «Cuando te quedas sola a
la puerta del negro caserío con tu hermanillo en brazos, ¿en qué piensas,
Mari Belcha, al mirar los montes lejanos y el cielo pálido?».

*Publicado por la galería de arte madrileña Juana Mordó, en la colec-
ción «Les Editions de la Rosa Vera», 1955-1956, ilustrando un grabado
(punta seca) de Rafael Pena cuyo título es «El niño de los gavilanes» (La
información anterior se la debo al señor Víctor Imbert).

El texto apareció después bajo otro título, «Ilustración para el niño de
la jaula vacía», en la sección de «Versos de circunstancias» de PC(62). Posteriormente pasó a LA con el título actual.

del que libera pensamientos,   5
palabras que se lleva el aire;
del que dio canto y dio consuelo
y no halló quien lo consolase.

Solitario, mudo, ceñidas
las sienes de hojas otoñales.   10
En la boca reseca el gusto
de la sal de todos los mares.

La sal que dejaron las olas
de los días al derrumbarse.

LA FUENTE DE CARMEN AMAYA*

*A César González Ruano, restituyéndole lo
que tomé de uno de sus magistrales artículos**.*

No el mar, sino esta fuente junto al mar.
Y la ciudad, detrás. (Qué importa la ciudad.
La ciudad era tiempo: primero, Roma y sus murallas,
y sucesivamente, peces de barras rojas en el lomo,

---

*Bailarina flamenca española de raza gitana (Barcelona 1920; Bagur, Gerona, 19 de noviembre de 1963).
**Periodista, novelista, poeta y dramaturgo (Madrid 1903-1965).
El artículo a que se refiere Hierro lleva por título «Carmen Amaya» y fue publicado en el diario madrileño *ABC* (20 de noviembre de 1963). Hierro no sólo usa partes de este artículo para crear su poema, sino que también se sirvió de la información general que apareció en este periódico a raíz de la muerte de la bailarina.
Por las fechas consignadas anteriormente, este debe ser el último poema escrito por Hierro para LA.
Me parece importante señalar aquí que si, por lo general, la crítica alude a los poemas «reportaje» como relacionados con el periodismo —de ahí la nomenclatura—, se puede ver en este caso que, a pesar de ser el origen del poema un artículo de periódico, el resultado final es fabulador e imaginativo; es decir, es una alucinación.

rejerías y ojivas, el poderío de las naves   5
de la Corona de Aragón.
Más tarde, un diálogo de humos.)

   La ciudad era un diálogo de aguas
—la fuente, el mar—; la vida, un diálogo de aguas,
una chiquillería desnudita y morena.   10
Y un griterío, un amontonamiento
en aquel aire cálido.
Y olor a hogueras, que no tienen tiempo.
Siempre a espaldas del tiempo.
Y nada más que ojos oscuros   15
para mirar, mirar, mirar...
Esto ocurría en lo que llaman,
los que no son de nuestra raza, pasado.

   De noche me acercaba a las olas.
Las olas no ocultaban ruiseñores   20
como el agua del cántaro que yo apoyaba en la cadera.
De noche, entre las olas, de cara al tiempo congelado,
sonaba el mar a hojas de otoño, pisoteadas por los pájaros.
Ceñía mis tobillos de diamantes.
Allí era el reino del vaivén, del ritmo,   25
de lo eterno acunando. El mar tampoco,
como si fuera de mi raza, se encadenaba al tiempo.

   Sonaba en mis oídos el ruiseñor del agua de la fuente,
oía los rumores del mundo.
Mi sangre era el mar mismo.   30
Me contagiaba de su movimiento.
Me enseñaban sus olas a no morir jamás.
Lo sin tiempo es la muerte. Y aquello, el ritmo,
el tiempo vivo, pero detenido; algo que no conoce
ni principio ni fin, que no parte ni llega.   35
Era el mar y la fuente junto al mar.
Y entre los dos estaba yo.

   Igual que ahora. Nuevamente unidos.
Cuántos racimos de años habrá exprimido el mar.

Por cuántos sitios— horas y lugares, qué sé yo—, lo que
    dicen   40
países, he llevado el centelleo de la espuma,
el oleaje de la llama...
Es posible que yo parezca diferente.
También quizá la fuente parezca diferente a los demás.
Yo no lo sé. Juntos estamos el mar, la fuente, yo.   45
Vinieron las autoridades,
artistas, periodistas, gentes que leen mi nombre en los pe-
    riódicos.
Me dijeron que era mía la fuente
(cómo podían darme lo que era mío, mi vida, el mar, las
    nubes).
No pudieron matar mi vida, restituirme al tiempo,   50
cuando hablaban y hablaban del ayer, la gitana
de Somorrostro, y otra vez aquello del arte y de la gloria,
y más palabras sin sentido
que siguen pronunciando mientras me acerco hasta mi
    fuente,
y adorno mis muñecas con sus helados brazaletes,   55
y humedezco mis sienes, mezclo sus aguas con mis lágri-
    mas.
Porque ahora pienso que he olvidado el cántaro,
y la tarde se queda sin ruiseñor que la ilumine,
y tengo miedo de volver sin agua,
y yo no sé dónde está el cántaro   60
y mi madre me va a reñir
porque a ver cómo vamos a guisar,
a lavar la ropita de los niños...
Y yo no sé qué le diré para que pueda comprenderlo.

[46-56] Estos versos están muy cercanos al artículo de González Ruano;
como ejemplo transcribo uno de los párrafos finales:

> Con lentitud casi angustiosa, Carmen se quito los guantes y hun-
> dió las manos en el agua, llevándose el agua a la cara, mezclándo-
> la con las lágrimas, como si cumpliera un rito misterioso y antiguo.

EL ENCUENTRO*

A Rafael Alberti

Diré un día: bienvenido
a la casa. Ésta es tu lumbre.
Bebe en tu copa tu vino,
mira el cielo, parte el pan.
Cuánto has tardado. Anduviste   5
bajo las constelaciones
del Sur, navegaste ríos
de son diferente. Cuánto
duró tu viaje. Te noto
cansado. No me preguntes.   10
Da de comer a tus perros,
oye la canción del álamo.

---

*Apareció en *Papeles de Son Armadans,* año VII, tomo XXX, núm.
LXXXVIII, julio 1963, págs. 127-128.
En esta primera versión el poema lleva la siguiente cita de Rafael Alberti:

> ...Un día
> nos iremos en un barco,
> no me preguntéis adónde:
> en un barco.

Los versos son de la «Canción 35» de *Baladas y canciones del Paraná*
(1953-1954), de Alberti, pero el texto no es como lo cita Hierro sino como
sigue:

> ...Un día
> nos iremos en un barco.
> No os quiero decir adónde.
> En un barco.

⁷ *Sur:* con minúscula en *Papeles.*
¹¹ Hierro hace eco aquí de un verso de la «Canción 35» en el que Alberti ve sus perros «pidiendo de puerta en puerta».

136

No me preguntes por nada,
no me preguntes.

                   Si hablase,
llorarías. Si enfrentases   15
tus espectros al espejo,
seguro que no verías
imágenes reflejadas.
Lo vivo lejano ha muerto:
lo mató el tiempo. Tú sólo   20
puedes enterrarlo. Dale
tierra mañana, después
de descansar. Bienvenido
a tu casa. No preguntes
nada. Mañana hablaremos.   25

CESTILLO DE FLORES*

*A J. R. J. y Z. C. A.***

I

Juncos flexibles, con frescor
de los ríos de España (¡ay, ríos
españoles, si él os pasase!),
arrancados al amarillo

---

[19] Alusión a otro libro de Rafael Alberti: *Retornos de lo vivo lejano* (1948-1956).
Lejano: hay una coma después de este vocablo en *Papeles.*
[21] *Dale:* en *Papeles* por error se escribe *Dalo.*
*Apareció en *Poesía española,* núm. 60, diciembre 1956, pág. 8.
Allí el título del poema y la dedicatoria se escriben en la misma línea: «Cestillo de flores a J. R. J. y Z. C. A.» Y lo mismo ocurre en PC(62), donde el poema aparece en la sección de «Versos de circunstancias».
Compuesto en eneasílabos con asonancia *i / o* en los versos pares.
**Juan Ramón Jiménez y Zenobia Camprubí Aymar (la esposa del poeta).
[2] *(¡ay:* en *Poesía española* y PC(62) se lee *oh, ríos,* sin signos de exclamación.

deslizamiento del poniente.   5
Con canto, y paz, y amor tejidos.
Y las flores. Lo acunarían
sus colores y sus sonidos:
la madreselva, la amapola,
el jazmín, la magnolia, el lirio,   10
la adelfa, el clavel, la verbena,
el jaramago... Y el espíritu
de la belleza, la columna
de serenidad, el latido
de mayo, forma del aroma: 15
la rosa.

II

Al borde de los siglos
late el recuerdo. Por lo eterno
luce el instante su sol niño.
El mediodía de palmeras
enciende azules infinitos.   20
Sobre las islas y los mares
las nubes ordenan sus mitos.
Hasta ti llevarán las flores
sus acumulados prodigios,
pulsarán guitarras de tierras   25
con castillos y con racimos.
Será rozar —tiene que ser
así— con sus dedos el símbolo
de muchos días y aguas, donde
la nostalgia esconde su nido.   30

III

Pero ya tu presente no es
sobrevolar el tiempo en giros
paulatinamente más lentos,
más melancólicos y altivos.

Estas flores no son el ramo   35
de tus bodas con el olvido,
sino corona, puente que une
tiempos muertos y tiempos vivos.
(El tiempo muerto con el cántico,
como el vivo, con el suspiro.)   40

IV

Juncos y flores con aroma
de las tierras y de los ríos
españoles, ¿os sentirá
sobre la tierra que fecunda
su cansancio definitivo?   45

EL HÉROE*

Oí latir el corazón del mar
unido al de otras músicas —el vals, la polka, el tango,
el chárleston, el pasodoble, la rumba, el twist, el mádison—,
lo eterno y lo que pasa, mano a mano.
La vida. El mar. Y las ciudades: hermosa Viena,   5
desasosegadora Nueva York,
pasando por París y por Madrid.
Músicas muertas en los tocadiscos
de los muchachos, como antaño en pianolas y organillos.
Música viva, como un mar que transcurre, para los soña-
        dores   10
—Bach, Schumann, Brahms o Debussy—;
señales de otras músicas futuras de otras vidas,
de otros tiempos —Boulez, Berio, Stockhausen, Luis de Pa-
        blo—,
viejos probablemente cuando leáis estas palabras
viejas también, que ahora arrojo al olvido.   15

---

  * Según nos ha comunicado el propio poeta, el héroe aquí descrito es
un franquista, por lo tanto, un anti-héroe, pues José Hierro estuvo del
lado republicano durante la guerra civil española.

Entonces lo vi allí, al héroe, indiferente,
con su uniforme de guardarropía,
anacrónico. El pecho cubierto de medallas y de nobles
    cintajos,
maravillas de seda y cobre.
Vi al héroe, descansando sobre el banco de piedra.   20

Los jóvenes que pasan, navegan por la música.
Otros, ya con arrugas, oyen el canto de las olas.
Yo sólo, aquí, entre ellos, el más viejo de todos,
oigo música y mar al mismo tiempo. Es la armonía
de quien nació y ha muerto muchas veces.   25
No es frecuente que sea así, pero sucede, como ahora:
de súbito se encienden mar y música;
estallan tiempo, espacio, fuera y dentro;
giran deslumbradores vida de ayer y sangre fresca:
es como un huracán irresistible.   30

Es como un fuego. Yo iba andando
con la felicidad de adentro
y la felicidad de afuera,
suma de aquella humanidad entre la que pasaba.
Y vi al hombre: «Qué harás aquí —me dije—,   35
descorazonadora criatura,
carcomiendo la plenitud. Qué se habrá muerto
dentro de ti».

                    Y yo, que oía
todos los sones, sólo oí el silencio, su silencio,
el silencio del héroe,   40
sordo al mar, a la música, a sus recuerdos y proyectos.

Nueve décimas partes de su vida
debieron de pasar sin acercarse al mar,

---

³⁵ *me dije:* en LA se lee *le dije.* Esto tiene cierta importancia para la
interpretación del texto, pues lo que era un diálogo con el héroe en LA,
se convierte en un monólogo interior en la versión definitiva.

sin sospechar siquiera qué paciencia salada,
qué artesanía de olas y de días   45
son necesarias para producirse
el prodigio de un árbol de coral,
la fantasía helicoidal de un caracol.
Era un héroe deshabitado, sin corona de roble
que le ciña de días gloriosos.   50

Despojad un instante a esta palabra
—*héroe*— de tantas adherencias literarias. Borrad
las iconografías consabidas:
Grecia y piedra rosada, cara al mar,
héroes ecuestres del Renacimiento...   55
Era otra cosa el hombre que yo vi.
Nació en alguna aldea del interior de España.
La piel endurecida, impasibles los ojos
que nada vieron nunca si no fue la llanura
circundada de encinas, donde nació y vivió.   60

(Donde vivió esperando
su tren de muerte, como yo ahora espero,
mientras nerviosamente escribo estos recuerdos,
al tren que ha de llegar a Medina del Campo
casi al amanecer. Estos sucesos   65
ocurrieron lejos de aquí, y en mí vivían
solicitando forma, para no ser pura nostalgia.
Sólo esta noche pude hallarles la palabra.)

Allí vivió veinte años. Un día, le hizo hombre
la guerra: le dio fe, lejanías y llamas.   70
Llegó hasta el mar; el mar le hizo sentirse libre;
mojó en el mar su cuerpo,
conquistó tierras, hizo prisioneros,
bebió vino de muerte, sintió tristeza y sintió ira;
tal vez fuera marcado por la metralla. Estuvo vivo   75
como nunca lo estuvo ni volvería a estarlo.
Dio razón y entusiasmo a su vida:
se la jugó con alegría a una carta tapada.
Luego, volvió a su pueblo a ensartar días y cosechas,

a dorar con melancolías   80
su estatua coronada de olas.

Y he aquí que al cabo de los años
llega otra vez junto al mar luminoso.
Donde dejó entusiasmo, vida y fe,
ha encontrado el silencio,   85
el mismo de las eras de su aldea,
mas ya sin esperanza.
Ha desfilado entre banderas, entre cánticos;
resucitaron las palabras en la garganta joven;
ha bebido el vino de antaño   90
y paseado su embriaguez gloriosa.
Desde las doce a la una y media
ha durado el desfile de estos supervivientes,
nostálgicos representantes
de un drama, escrito hace quién sabe cuántos años.   95
Después de la comida y los discursos
cayó el telón. Y oyó el silencio de los espectadores.

Y el silencio del mar. Y el de su vida.
Dijeron: «A las nueve al autobús;
hay que llegar temprano a casa».   100
Oyó el silencio de su vida.
Desconocido entre desconocidos,
anduvo por las calles, sin rumbo. Se sentó
enfrente de las olas. Volvió el naipe
y no había figura pintada en él. Y oyó el silencio.   105

¿Comprendéis? El nordeste cesa al atardecer.
Ya ni siquiera hace temblar la ropa de este hombre.
No le deja en la mano el aroma del arma
con que mató a la muerte hace ya tiempo.
Van los muchachos por su lado, destruyen   110
la muerte con la música, como ayer con la pólvora.
Destruyen con la música la vida.
Con la música crean un inmenso silencio.

Un es cansado*

Mas ¿cómo perseveras,
oh vida, no viviendo donde vives...?

SAN JUAN DE LA CRUZ**

---

*Este título proviene del soneto de Quevedo «Represéntase la breve-
dad de lo que se vive y cuán nada parece lo que se vivió». En el terceto
donde se halla el título se puede leer:

Ayer se fue; mañana no ha llegado;
hoy se está yendo sin parar un punto;
soy un fue, y un será, y un es cansado.

**La cita de San Juan de la Cruz pertenece al «Cántico espiritual» y la
estrofa completa es la siguiente:

Mas ¿cómo perseveras,
¡oh vida!, no viviendo donde vives,
y haciendo por que mueras
las flechas que recibes
de lo que del Amado en ti concibes?

CARRETERA*

Volví, volvía —con qué poca ilusión—
a donde tuve mis raíces, mis recuerdos, mi casa
frente al mar, y los árboles
plantados por mis manos, pisoteados por los niños,
comidos por los animales.   5
Mi casa junto al mar, más solariega
que otras, la que fue más hermosa que todas.
Con qué poca ilusión volvía.

Cárdenas tierras húmedas y soleadas, trigos
color de aquellos ojos, pincelada morada   10
sobre lo verde, allá en Vivar del Cid,
murallas de olmos negros, amapolas,
verdes sombríos por Entrambasmestas,
platas de la bahía, con qué poca ilusión
pasaba por vosotros.   15

Cómo se puede vaciar así
un corazón. Cómo se puede

----

*La carretera aquí aludida es la que va de Madrid a Santander, lugar
de veraneo del poeta y de su familia y donde residió por muchos años.

⁶ El poeta se refiere a una casa que la familia Hierro tuvo en un pueblo, Liencres, a nueve kilómetros de Santander y que fue vendida en los
años 70.

⁶⁻⁷ Estos dos versos se hacen eco de un romance satírico de Quevedo
cuyo título es «Responde a la sacaliña de unas pelonas» en el cual puede-
de leer:

> que es mi casa solariega
> diez puntos más que las otras,
> pues que, por falta de techo,
> le da el sol a todas horas;

Esta información se la debo al propio poeta.

¹¹ *Vivar del Cid:* ciudad que se encuentra en la carretera Madrid-San-
tander.

¹³ *Entrambasmestas: Ibid.*

llorar así, por dentro. Frustraciones o muertes,
nada me arrancó lágrimas desde aquellos aviones,
los que volaban sobre mí y arrasaban mi mundo   20
sin que arrojasen bombas, ni ametrallasen: sólo
con el ruido de sus motores,
demasiado terrible para mí entonces y ahora.

Qué quedó de mi vida entre sus alas.
Qué en la música oída en la noche,   25
la que vestía nuestra desnudez
mientras caía el agua cálida, qué gozo, el agua...
Qué se hundió por aquellas escaleras
precipitadas en la noche.
Qué congeló la luna que iluminaba las fachadas.   30
Qué llevó la marea en la playa de octubre.

Cómo es posible edificar,
reconstruir con tantos materiales
disueltos en el tiempo,
gastados por la lluvia que no vimos caer...   35

Volví, volvía como ahogado
bajo un montón de escombros
que fueron mi edificio, mi alcázar,
sin una sola lágrima —para qué— que llorar,
apoyado en el llanto de otros días,   40
como si sólo con lágrimas de entonces
pudiese liberarse este dolor presente
que ya no encuentra llanto.

EL RESCATE IMPOSIBLE*

I

Invierno vestía de plata
las lejanías. Primavera
pulsaba sus verdes. Estío
bruñía la espada sangrienta.
Otoño desencadenaba   5
los torrentes de su tristeza.

    Y él está siempre allí. Miraba
lo imposible. (Han pasado cerca
de veinte años.) Y él está
ensimismado, ante la puerta   10
infranqueable.

               Estío funde
su estatua de ola, viento, piedra.
Y él está allí. Desnuda otoño
su torso pálido de estrellas.
Invierno oculta con su máscara   15
la desolada calavera.
Y él está allí. Sigue allí, bajo
la invención de la primavera.
Desde allí mira no sé adónde,
caída la clara cabeza.   20

    Quiero arrancarlo de su éxtasis
para reintegrarlo a la rueda
temporal, para darle vida.
(Olvidé que han pasado cerca
de veinte años. Olvidé   25

---

*Composición en eneasílabos con asonancia en *e* / *a*.

que ya no es clara su cabeza,
que ya no puede ser posible
que me escuche y que me comprenda.)

II

EJEMPLOS

(Ya no es posible: lo que ha sido
un instante, es estatua eterna.   30
Todo es presente: aun el recuerdo.
Todo dura, aunque no se vea.
Está detrás de nuestros ojos.
Detrás de nuestro aliento, alienta.
¿Quién rescata y borra una lágrima?   35
¿Qué sonrisa tiene esa fuerza?
La estrella extinguida hace siglos
aún vive en la luz que nos llega.
Visteis abetos en la nieve:
hoy palmeras sobre la arena.   40
No creáis que se transformaron
los abetos en las palmeras:
todos tienen su lugar justo,
dispuesta tienen su presencia
para los ojos de los seres   45
que se acercan y los contemplan.)

III

A los ojos..., al pensamiento...,
¡qué más da!... Han pasado cerca
de veinte años... No se puede
cantar al niño que se era,   50
acunar con mano arrugada
el cuerpecillo de piel fresca,
hacerlo feliz con estío,
soñador con la primavera,

sonoro y grave con otoño,   55
hondo en invierno... ¡Ojalá fuera
posible borrarlo del tiempo,
quemar su memoria y su huella!...

   Allí, y así, seguirá siempre,
ensimismado y triste, cerca   60
del sueño, lejos de la vida,
anclada su nave de nieblas.
¿Era a ti mismo a quien mirabas?
¿Te veías como aún no eras,
como serías, como soy,   65
criatura mía materna?

ALUCINACIÓN EN AMÉRICA*

I

No son espigas rumorosas
sobre el verde ondulado, sobre el murmullo y el jadeo
y el chasquido: es un rumor
que me empapa la vida. (Me encontré.
Duró lo que un relámpago. Volví a desconocerme.)   5
No era, sobre mi piel, trigo de espiga de agua,
sino cosecha de astros, luz hecha añicos húmedos
lo que me torna luminoso e irreal.
Traspuse una frontera y sucedía algo
imposible de comprender.   10
Y fue como si el humo de la tristeza me empapara
el futuro desconocido.
Me resistía a hallarle nombre a aquello
que ocurriría fatalmente.

---

* La experiencia del exiliado de este poema no tiene ninguna relación
con la vida del poeta, pues Hierro ha residido en España siempre. Es una
forma más del desdoblamiento del sujeto poético en LA, y de la objetivación de la voz poética en una situación totalmente ficticia para el escritor; por lo tanto, cumple este personaje funciones simbólicas.

Quise cegarme, aniquilarme   15
en aquel ritmo libre y poderoso,
en el vaivén del mar, en el presente
salado, el movimiento incansable que borra
fechas, lugares, decepciones, afanes, miedos.
Y aquello que era mar, lo vi camino.   20
Lo vi camino hacia el futuro. Lo vi miedo.
Lo vi soga de espuma que rodeaba mi garganta.

II

Ahora me dejo levantar, hundir.
Soy como un muerto anticipado sobre el agua.
Si alzo los ojos, veo nubes, veo rocas.   25
Desde el lado de acá del mar las veo
como si las guardara en la memoria
en el lado de allá, en el tiempo de allá.

    Juegan mis hijos con las olas en la orilla
—¡aletead, chillad, gaviotas!   30
Están acá, en las olas de América.
Un día nos marchamos allá, a América.
Yo dejé en las orillas de acá mi corazón,
mi corazón en las aguas de allá,
entre estas nubes y estas rocas que ahora veo,   35
que recuerdo, será mejor decir, perdidas para siempre.

    Fui allá con la tristeza del que cierra
el cofre que guardaba lo mejor de su vida.
Cerré con mi fracaso la cerradura de oro.
Vine allá. Me besaba cada día las llagas de los pies,   40
las huellas de las piedras, de las espinas, los tizones.
Pude curarlas en América (la industria química
ha hecho progresos increíbles en la orilla de acá):
prefería besarlas cada día, lamerlas como un perro.
Me sabían a Córdoba, a Valencia, a Salamanca, a Bar-
                                            celona,]   45

a mar de Santander, a sierra de Madrid, a vino y fruta,
a polvo del camino, a trenes entre robles o entre pitas,
a catedrales y castillos, a tabernas y cárceles.

III

Es este mar de acá el que acuna mi cuerpo.
Porque allá —fue una extraña fidelidad— no entré en el
        mar.   50
Mis hijos me decían: «Bien hiciste
trayéndonos acá, dejando aquella tierra pobre...»
(¡Aquella tierra pobre, arrugada, sumisa,
soleada y primaveral, áspera y tierna,
aquella cal desconchada y sangrienta,   55
rica en óleo y en flores y en llanto, hermosa España!)
Han vivido unos años allá (demasiados)
los niños que ahora juegan en las olas.
Crecieron, trabajaron, decidieron el rumbo de sus vidas
estos niños que cantan en la orilla   60
sin sospechar lo que pasó, lo que habrá de pasar.
«Bien hiciste —dijeron— dejando aquella tierra mísera».
(Han vivido unos años sin sospechar que junto a ellos
hubo un pedazo casi mudo
de aquella tierra que dejaron en el lado de acá.)   65

IV

No son espigas rumorosas
las que me cantan. No son astros, sino polen del mar,
luz y rumor que borra toda música
fondeada en el tiempo; respiración que extingue
toda palabra pasada o futura   70
y nos convierte en llama eterna.

    Este hervor cegador —¡bendito sea!— borra
una imagen que ocurre allá, en América:
la agonía de un hombre que pronuncia palabras

en un idioma incomprensible casi   75
para estos niños que lo velan allá,
estos que ahora aletean al sol de acá.

   Bendito seas, mar. Detrás de tu muralla
deslumbradora no es posible oír
al doctor que pregunta, allá, «what does he say?»   80
Son estas mismas olas, es su rumor de vida y muerte
quienes impedirán que tú comprendas
estas palabras últimas. Y mi secreto habrá tornado
conmigo al centro oscuro de la tierra
que un día soportó su peso.   85

EL PASAPORTE*

«Tienes estrellas en la frente»,
me hubieran dicho hace unos años gentes desconocidas,
rostros que no he de conocer jamás.
No sé por qué se me ha ocurrido
esto de las estrellas, ni qué quiere decir.   5
(Habré de recordarlo mañana, cuando sea de día.) Y otra
     idea
que viene y va: es un símbolo,
más bien un argumento para un cuento vulgar.
Tiene que ver con un caballo de cartón y un niño.
(Cuando despierte de la fiebre, al terminar el viaje,   10
veré que es tema propio para un cuento
con fondo de sonajas, panderos y rabeles.
Un argumento que ya ha sido escrito
cientos de veces, enternecedor, vulgar,
folletinesco.) Un niño que soñaba   15
con un caballo que no tuvo.
Y cuando se hizo hombre lo compró
para vengarse de los años.
Ya imagináis lo que sucede

---

* Apareció en PC(62).

cuando intenta desenterrar   20
el niño antiguo. Veinte, treinta años,
tan gran retraso mata demasiadas cosas.
Ésta es la idea que me ronda: un cuento repetido
hasta la saciedad, efectista, ridículo,
un cuento lacrimoso propio de Navidad.   25

No sé por qué se me ha ocurrido
este estúpido ejemplo. (¿Y qué era aquello otro
de las estrellas en la frente?)
No me explico que pueda enternecerme
algo que en otras circunstancias   30
me hubiera hecho reír. Cuando sea de día
me excusaré conmigo mismo
—estaba solo en el departamento,
tiritaba de fiebre, era de noche,
el tren cruzaba lugares desconocidos...   35
Me excusaré también por no haberme asomado
a acariciar verdores, cielos pálidos, ciudades, ríos.
(Diré que era de noche, que nada se veía fuera.
Y mentiré. Porque este viaje pude hacerlo
hoy, de día, sin fiebre, y hubiera sido igual.   40
O ayer, de noche, enfermo. Y, sin embargo,
hubiera adivinado lo escondido en lo oscuro.)

Debí aclarar que eso de las estrellas,
lo del caballo de cartón, la fiebre,
el paisaje invisible detrás de los cristales,   45
ocurría viajando hacia París.
Aclararé. Por vez primera salía de mi patria
con veinte años de retraso
sobre mis esperanzas. Miré mi pasaporte. En mi fotografía
una aureola de ceniza velaba el cráneo calvo.   50
(«Tienes estrellas en la frente, muchacho»,
me hubieran dicho entonces.)
El pasaporte era en mi mano
una orden de libertad

---

[24] *saciedad:* en PC(62) hay una errata y se lee *sociedad.*

que llegó veinte años tarde.   55
Entonces, en su día, en mi día,
hubiera yo besado las piedras de París,
cantado bajo un cielo irrepetible,
quemado el aire con mi vida...

  ...Quemado el aire. Ya no es hora. Gracias   60
de todos modos. Has llegado tarde.
Sé bienvenido con mi fotografía,
datos y cifras personales,
mi profesión, mi edad, mis tantas cosas
olvidadas o desterradas.   65
Ahora ya da lo mismo Londres, París, Madrid.
Igual música llevan el Támesis, el Sena, el Manzanares.
Esta serenidad (o indiferencia: como queráis llamarlo)
dan los días. Incluso puedo mezclar en un poema,
sin temor al ridículo,   70
estos nombres de ríos navegables y abiertos— Sena, Tá-
            mesis—,
con los de cauces casi secos —Manzanares:
San Sebastián de flechas gongorinas, lopescas, quevedescas.
Porque no es hora ya de engrandecer,
de idealizar, de mentir bellamente,   75
sino que es hora de reconocer
y de aceptar, sin canto y sin pasión,
como si ante un notario hiciese testamento
momentos antes de mi muerte.
Un documento, no un poema.   80
Un testimonio, una radiografía
que no pretende ser hermosa, sino útil.

  Útil, tal vez, para mí solo
(es decir, objetivamente inútil). ¡Qué tristeza
este juguete que llega tan tarde!   85
Ahora el mundo no es ya nieblas acá,
playas y piedras radiantes allá,

------

⁶⁶ El texto refleja un viaje que hizo José Hierro a Londres vía París.

ni ríos navegables que abren sus brazos al que llega
de una patria de ríos violentos y profundos
como las gentes que los ven pasar.   90
Cualquier punto del orbe (perdonad
la generalización pedantesca)
es un lugar para soñar, para vivir,
para estar solo y continuar la espera
sin demasiada avidez,   95
sin emoción y sin sorpresa.

   No es lo peor que esto suceda así,
sino que pudo suceder de otra manera.
Y lo pienso, Dios mío, besando el pasaporte,
unas escasas hojas de papel   100
entre las que han quedado tantas cosas
que ya no tienen realidad.
Tantas cosas que un día pudieron haber sido.

MIS HIJOS ME TRAEN FLORES DE PLÁSTICO

Os enseñé muy pocas cosas.
(Se hacen proyectos..., se imagina..., se sueña...
La realidad es diferente.) Pocas cosas
os enseñé: a adorar el mar;
a sentir la alegría de ver vivir a un animal minúsculo;   5
a interpretar las palabras del viento;
a conocer los árboles, no por sus frutos:
por sus hojas y por su rumor;
a respetar a los que dejan
su soledad en unos versos, unos colores, unas notas   10
o tantas otras formas de locura admirable;
a los que se equivocan con el alma.
Os enseñé también a odiar
a la crueldad, a la avaricia,
a lo que es falso y feo, a las flores de plástico.   15

Febrero llueve sobre el cementerio.
Es una tarde de domingo. Gris
es todo. Hemos venido a enterrar a una criatura
tierna y absurda. Un ser que tal vez soñaría
con la inmortalidad. Trazaba rayas   20
sobre una plancha de metal, la mordía con ácidos...
Así evocaba a sus demonios, daba fe de su vida,
escribía sus sueños... (Humildemente
dejó pasar sus días. Sin fuego transcurrieron.)
Un pobre ser que ya descansa.   25

No dejó un hueco irremplazable
en el mundo. Quebró su muerte la perfección universal.
Muy pocos lo advirtieron. Recordarán algunos
de tarde en tarde, y sin dolor, que ya no existe.
Los menos que la lloran la olvidarán también.   30
Al fin quedó enterrada su carne. Ha vuelto a deshacerse.
Correrá con el agua subterránea que la acompaña,
se deshará con gozo inútil en las cosas
sin dar siquiera un poco de carmín,
de aroma o balanceo a alguna flor de estío,   35
una flor verdadera, no de plástico, fea,
como aquellas que odiábamos, hijos míos.

Aquí me dejan bajo tierra. Es una tarde de febrero.
Todo es negro cuando se van. Y mudo. Se ha extinguido
esa música gris que antes sonaba.   40
También el tiempo se ha borrado, y su sufrimiento,
de mi cuerpo. Ya el sufrimiento y el tiempo
van deshaciendo poco a poco lo que fue,
y tuvo fe y desánimo, fantasía y amor.
¡Qué pequeño es ahora, a esta distancia   45
absoluta, el afán diario! ¡Qué pequeño lo grande,
lo grande aquello! ¡Qué pequeñas las iras
ante los hombres y sus actos!
¡Qué pequeños los hombres, y qué necio

16-37 Estas dos estrofas están relacionadas con la muerte y el entierro
de la grabadora Carmen Arozena, que nació en Santa Cruz de la Palma,
Canarias, en 1917, y murió en Madrid el 16 de febrero de 1963.

aquel errar buscando la verdad!   50
Como si hubiese una verdad tan sólo.
Como si una verdad fuera bastante
para darnos la vida.

               Tarde se aprende lo sencillo.
Lo sabréis cuando un río de espanto se desboque
y arrastre vuestra luz, y la sepulte sin remedio.   55
Pensé algún día que quien vive sólo un instante, nunca
puede morir. Quizá quise decir que sólo aquel que muere
un instante sabe lo nada que es vivir.
Mas nadie ha muerto nunca sino definitivamente.
Y entonces las palabras no tienen labios que las formen. 60

   Tarde se aprende lo sencillo.
Tarde se encuentra la hermosura. No aquella de los ojos
mortales, la del mundo. No puedo hacer que lo entendáis.
Necesario sería que ahora estuvieseis aquí abajo
y que vieseis a vuestros hijos llegar entre las tumbas,   65
bajo la lluvia, y dejar su perfume y su presencia
en las tibias, alegres, inmortales
—más hermosas en vuestras manos que las del bosque—
flores de plástico.

CON TRISTEZA Y ESPERANZA

Demasiado amor fue aquél
—olvidamos que somos criaturas mortales,
seres de mar y viento, de nube y piedra y hoja.
Demasiado amor. Nos dimos vida
como quien va a morir un instante después.   5
Y estamos condenados a vivir,
muriendo poco a poco,
de una manera dolorosa y sin grandeza.
Te busco a veces con desesperación,
pongo mi oído en el papel que tú me escribes.   10
Una vez más parece que descanso
sobre tu pecho —acaso no comprendas

el niño que hay en mí. Pecho o papel
palpitan cuando los escucho,
hacen sonar la vida que te di,   15
la vida y muerte que me diste.
Con furia y con amor lejano me golpea
este papel —pecho quise decir.
Trata de destruir el tiempo.
Sobre su ruina edifica el amor,   20
un amor hecho de esperanza,
no de alma y cuerpo unidos, como ayer.
Me dice que no puede morir nada que fue,
nada tan lleno de sentido, me dice.

    Demasiado amor aquél.   25
Poco para llenar toda una vida,
suficiente cuando pensamos
que este momento es un silencio,
un abismo entre dos orillas
llleno aún del aroma del amor,   30
de su recuerdo vivo, de la seguridad
—a qué vivir, si no— de que un día la vida
desplegará otra vez— no sé si fugazmente, pero basta—
ante nosotros sus mágicos colores.

ACELERANDO*

Aquí, en este momento, termina todo,
se detiene la vida. Han florecido luces amarillas
a nuestros pies, no sé si estrellas. Silenciosa
cae la lluvia sobre el amor, sobre el remordimiento.
Nos besamos en carne viva. Bendita lluvia   5

---

*Carlos Bousoño utiliza este poema para ilustrar lo que él llama la «yux-
taposición temporal». Véase «La superposición temporal» en *Teoría de
la expresión poética,* 5.ª ed. muy aumentada y definitiva (Madrid, Gredos,
1970), págs. 318-320.
    También ha sido analizado por Susana Cavallo en su artículo sobre LA
consignado en la «Bibliografía».

en la noche, jadeando en la hierba,
trayendo en hilos aroma de las nubes,
poniendo en nuestra carne su dentadura fresca.
Y el mar sonaba. Tal vez fuera su espectro.
Porque eran miles de kilómetros   10
los que nos separaban de las olas.
Y lo peor: miles de días pasados y futuros nos separaban.
Descendían en la sombra las escaleras.
Dios sabe a dónde conducían. Qué más daba. «Ya es hora
—dije yo—, ya es hora de volver a tu casa».   15
Ya es hora. En el portal, «Espera», me dijo. Regresó
vestida de otro modo, con flores en el pelo.
Nos esperaban en la iglesia. «Mujer te doy». Bajamos
las gradas del altar. El armonio sonaba.
Y un violín que rizaba su melodía empalagosa.   20
Y el mar estaba allí. Olvidado y apetecido
tanto tiempo. Allí estaba. Azul y prodigioso.
Y ella y yo solos, con harapos de sol y de humedad.
«¿Dónde, dónde la noche aquella, la de ayer....?», pregun-
                tábamos
al subir a la casa, abrir la puerta, oír al niño que salía 25
con su poco de sombra con estrellas,
su agua de luces navegantes,
sus cerezas de fuego. Y yo puse mis labios
una vez más en la mejilla de ella. Besé hondamente.
Los gusanos labraron tercamente su piel. Al retirarme 30
lo vi. Qué importa, corazón. La música encendida,
y nosotros girando. No: inmóviles. El cáliz de una flor
gris que giraba en torno vertiginosa.
Dónde la noche, dónde el mar azul, las hojas de la lluvia.
Los niños —quiénes son, que hace un instante   35
no estaban—, los niños aplaudieron, muertos de risa:
«Qué ridículos, papá, mamá». «A la cama», les dije
con ira y pena. Silencio. Yo besé
la frente de ella, los ojos con arrugas
cada vez más profundas. Dónde la noche aquella,   40
en qué lugar del universo se halla. «Has sido duro
con los niños». Abrí la habitación de los pequeños,
volaron pétalos de lluvia. Ellos estaban afeitándose.

Ellas salían con sus trajes de novia. Se marcharon
los niños —¿por qué digo los niños?— con su amor,   45
con sus noches de estrellas, con sus mares azules,
con sus remordimientos, con sus cuchillos de buscar pureza
bajo la carne. Dónde, dónde la noche aquella,
dónde el mar... Qué ridículo todo: este momento detenido,
este disco que gira y gira en el silencio,   50
consumida su música...

VIAJE A ITALIA

Y ahora qué haré, si tú no estás.
En el espejo te desvaneciste.
Qué haré, si ya no estás. Cómo encontrarte.

    Fui a la agencia de viajes.
Dije: «Un billete». «¿Para dónde?»   5
«Para dónde ha de ser». (Me comprendieron en seguida.)
«Mucho tiempo esperó», dijeron enigmáticos.
Volví a casa cantando, recobrada
la vida. Me miré al espejo.
Tu ya no estabas. Comprendí.   10

    Ahora qué voy a hacer. Sin ti quién puede
recobrar lo soñado, lo perdido: Venecia
de vidrio rosa, Roma con cabellos de fuentes.
Florencia y Siena, Nápoles y Pisa,
Botticelli, Giotto, Tiziano, cipreses y palacios,   15
canales, Miguel Ángel, frutos, palomas, Donatello,
qué van a ser sin ti, si eras tú quien les dabas
vida, sentido, magia.

          Llegaré —a veces gusto
de imaginar que en el crepúsculo—
a no sé qué ciudad. Consultaré la *Guide Bleu*   20
y... Ésta es la prueba. ¿Quién puede acercarse,
después de tanto tiempo, a un gran amor,
sin alma, sin amor, es decir, sólo con los ojos?

«Un billete», diré. Preguntarán que para dónde.
«Para un lugar que yo inventé   25
y tal vez ya no existe. Para mirarme en un espejo
que reflejó mi vida cuando no estaba yo
y al que me acerco ahora,
cuando no puede devolver mi imagen».

Y entenderán por qué lo digo.   30

HISTORIA PARA MUCHACHOS*

Dicen: «Este señor
habla tan sólo de sí mismo.
Pasa —dicen— cegado,
sin ver lo que sucede alrededor.
Va por el mundo como un barco viejo...,   5
ese señor... Bueno para cortar
con un hacha, y quemarlo, y calentarnos
si es capaz de calor...
Ese señor que hablaba de su vida
y nada más... Ese señor...», han dicho.   10

   Probablemente era ya viejo
cuando nací, cerca de un río.
Aunque no me acuerdo de ese río,
sino del mar bajo el sol de septiembre.
Sería complicado explicar las razones   15
por las que yo me hallaba allí
entre las olas y los estudiantes,
estrujando el momento
como quien quiere anclarse
a un trozo hermoso de la realidad.   20
Un sueño de oro entre las dos sirenas

---

* Apareció en *Cuadernos Hispanoamericanos*, núm. 157, enero, 1963.
⁵ No hay coma al final del verso en *Cuadernos*.
¹⁰ En *Cuadernos* y LA no se cierran las comillas, no hay coma y se pone un guión parentético antes de *han dicho*.

que interrumpían el trabajo.
Era algo así como nostalgia
lo que me hacía estar allí
hasta mi encuentro con la máquina.   25

Este señor que pasa por la vida
metido dentro de sí mismo, entonces
era cilindrador. ¿Sabéis qué es eso,
vosotros que le habláis a este señor
de realidades? Es posible que haya   30
entre los libros de la biblioteca
de vuestros padres, uno que os aclare
ciertas palabras; apuntad: *palero,*
moldeador, listero en unas obras,
transportista de leña a domicilio,   35
comisionista para venta a plazos
de libros, negro de escritor... Acaso
alguno de los libros que tenéis
en vuestra casa me haya a mí dejado
un porcentaje (un diez por ciento, creo).   40

No son éstas las únicas palabras.
Hay otras. Por ejemplo: *condenados*
por auxilio a la rebelión.
(Creo que ése era el término jurídico.)
Auxilio, o *adhesión:* no estoy seguro.   45
O uno le fue aplicado
a mi padre, y el otro a mí.
No estoy seguro. Ya ha pasado el tiempo
y él ha muerto. Y han muerto muchas gentes
que estuvieron en una situación   50
semejante, o peor. Y los demás
envejecimos. No hemos muerto,
afortunadamente.

                    Este señor
oyó una vez llorar a un niño
en el momento de la elevación   55
en una misa. (Necesitaría

demasiadas palabras
para que comprendierais por qué un hecho
tan aparentemente natural
me parecía irreal entonces, y ahora.   60
¿Cómo hacerlo sentir?... En cuatro años
no había oído voz de niño.
La de mujer, al otro lado,
desgarrada, voz casi masculina
por el esfuerzo para destacarse   65
del griterío. No podría
explicarlo. No es cosa de palabras
como estas mías. Sólo un gran poeta
podría contagiaros la emoción:
mis palabras no bastan.) Lloró el niño.   70
Por las triples vidrieras entró el sol.
El corazón estaba
a punto de romperse hermosamente.
Después, fue un hombre muerto,
y otro hombre, muchos más...   75
He perdido la cuenta.
En los balcones los dejaban
por la noche, delante de la fuente
de aquel patio interior. Muertos calzados
con alpargatas nuevas, su sudario.   80
Amanecía y se les despedía
cantando el *Dies irae*
(ya no recuerdo si el de Verdi,
o es muy posible que el de Mozart).

    Este señor apetecía ser   85
el Desdichado de la tierra,
el más miserable que nadie,
el más solitario que todos.

[61-66] En *Cuadernos* no hay ningún signo de interrogación.

Los cuatro años, y la experiencia descrita en estos versos, constituyen un hecho real de la vida del autor. Las excelentes páginas biográficas sobre Hierro escritas por Pablo Beltrán de Heredia narran estos años de su encarcelamiento (1939-1944). Véase *Peña Labra*, núms. 43-44, 1982 (Consignado en «Bibliografía»), págs. 15-21.

No se tenía lástima a sí mismo
y sólo así sería libre,   90
sin nadie a quien compadecer...
Y un día volvió al mar. Fueron las olas
a lamerle las manos. «Aquí estás
—le dijeron— de nuevo». Desplegaron
sus colores, olores y sonidos.   95
Pusieron en sus manos pan de amor.
Las gaviotas bajaron a picarlo.
Pero las alas eran alpargatas
en los pies de los muertos. Y la música
del mar era el *Dies irae*... Sólo un día,   100
un momento, tendido —la cabeza
junto a un tronco rugoso de sabina—,
olvidó. Fue un momento. Eternidad
que le duró un momento. Se creía
tierra de paz. Y el árbol le nacía   105
de la frente, y las nubes...

                              (¿Quién no ha visto,
quién no ha vivido nubes, árbol, mar?...
Será mejor cambiar de tema,
dejar de hablar, aunque necesitaba
deciros esto. La palabra   110
es de piedra, impermeable a la emoción
lo vuelvo a recordar.)

   Lo de la mar duró muy poco.
Todo duraba cada vez más poco.
Era lo mismo que un pantano.   115
Yo me hundía en el fango.
Y cada vez era mi cuerpo
menos libre. Gritaba, respiraba,

[92-93] *fueron las olas / a lamerle las manos...*: frases que fueron elimi-
nadas por error en CSDM(74). Esta errata, que no fue advertida por el
autor ni por la editorial, se subsana aquí y se vuelve a imprimir la versión
original de LA.
[106-107] Sin signos de interrogación en *Cuadernos*.

enloquecía, enloquecía, enloquecía.
Convocaba mi muerte   120
a aquellas gentes que yo vi morir.
Y yo escondía la cabeza
para no verlos, y que me dejaran
vivir, morir a gusto.
Y yo escondía la cabeza   125
bajo un acordeón. Yo le arrancaba
sonidos —lo recuerdo—, y las mujeres
bailaban, y Madama Leontine,
gorda y espritual, recomendaba
silencio, por si acaso la multaba   130
la policía...

          Ya ha pasado el tiempo
sobre todos nosotros.
Muchos se han liberado ya del tiempo.
Nuestros pequeños heroísmos
adquirieron su dimensión   135
verdadera. Aquel verdor de luna
de febrero, con nieve, entre vagones,
no es más que una viñeta. Aquella luna
de agosto, sobre el mar y las montañas,
se ha apagado. Es vulgar. Y tantas cosas   140
que fueron mías, nunca vuestras,
y hoy ni siquiera son ya mías.
Recorrí mi camino repicando
las sonoras campanas, encendiendo
las estrellas —creía en las campanas   145
y en las estrellas—... Todo fue rompiéndome
el corazón. Y me encontré de pronto
nel mezzo del camin di nostra vita
(hago la cita para que digáis
que en esta historia existe, por lo menos,   150
un verso bueno: justo el que no es mío).

126-128 El poeta tocaba el acordeón en su juventud.

   Madama Leontine: nombre de una matrona dueña de un prostíbulo de
los años en que el poeta residía en Valencia.

Ya no me importan nada
mis versos ni mi vida.
Lo mismo exactamente que a vosotros.
Versos míos y vida mía, muertos   155
para vosotros, y para mí.
Pero en vosotros , por lo menos, queda
vuestra vida, y en mí sólo momentos
inasibles, recuerdos o proyectos,
alguna imagen descuajada   160
de mis años pasados o futuros.
Como esta que me asalta en el instante
en que estoy escribiendo: un hombre esbelto,
con su cadena de oro en el chaleco.
Habla con alguien. Detrás de él, un fondo   165
de grúas en el puerto. Y hay un niño
que soy yo. Él es mi padre.
«El niño tiene cuatro años»,
acaba de decir.

---

[157] *vosotros:* no hay coma después de este vocablo en *Cuadernos.*

Epílogo

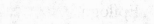

CAE EL SOL*

Perdóname. No volverá a ocurrir.
Ahora quisiera
meditar, recogerme, olvidar: ser
hoja de olvido y soledad.
Hubiera sido necesario el viento   5
que esparce las escamas del otoño
con rumor y color.
Hubiera sido necesario el viento.

   Hablo con la humildad,
con la desilusión, la gratitud   10
de quien vivió de la limosna de la vida.
Con la tristeza de quien busca
una pobre verdad en que apoyarse y descansar.
La limosna fue hermosa —seres, sueños, sucesos, amor—,
don gratuito, porque nada merecí.   15

   ¡Y la verdad! ¡Y la verdad!
Buscada a golpes, en los seres,
hiriéndolos e hiriéndome;
hurgada en las palabras;
cavada en lo profundo de los hechos   20
—mínimos, gigantescos, qué más da:
después de todo, nadie sabe

*Apareció en *Cuadernos de Agora,* núms. 59-60, septiembre-octubre 1961, págs. 40-41.

qué es lo pequeño y qué lo enorme;
grande puede llamarse a una cereza
(«hoy se caen solas las cerezas»,   25
me dijeron un día, y yo sé por qué fue),
pequeño puede ser un monte,
el universo y el amor.

    Se me ha olvidado algo
que había sucedido.   30
Algo de lo que yo me arrepentía
o, tal vez, me jactaba.
Algo que debió ser de otra manera.
Algo que era importante
porque pertenecía a mi vida: era mi vida.   35
(Perdóname si considero importante mi vida:
es todo lo que tengo, lo que tuve;
hace ya mucho tiempo, yo la habría vivido
a oscuras, sin lengua, sin oídos, sin manos,
colgado en el vacío,   40
sin esperanza.)

    Pero se me ha borrado
la historia (la nostalgia)
y no tengo proyectos
para mañana, ni siquiera creo   45
que exista ese mañana (la esperanza).
Ando por el presente
y no vivo el presente
(la plenitud en el dolor y la alegría).
Parezco un desterrado   50
que ha olvidado hasta el nombre de su patria,

---

[25] Se reproduce aquí el verso 32 del poema «Noche final», que apareció en el primer libro de Hierro, *Tierra sin nosotros.*

[28] Este verso se cierra con un guión en *Agora* y en LA.
Después de este verso, en *Agora,* se añade otra línea que dice: «Después de todo, qué más da».

[29] Según me ha comunicado el propio poeta, estos versos están relacionados con su lectura de la novela de Fedor Dostoyevski, *Los hermanos Karamazov.*

su situación precisa, los caminos
que conducen a ella.
Perdóname que necesite
averiguar su sitio exacto.   55

    Y cuando sepa dónde la perdí,
quiero ofrecerte mi destierro, lo que vale
tanto como la vida para mí, que es su sentido.
Y entonces, triste, pero firme,
perdóname, te ofreceré una vida   60
ya sin demonio ni alucinaciones.

Colección Letras Hispánicas